La vraie vie en Dieu

Supplément 1

ISBN : 2-86839-224-5

La vraie vie en Dieu

Supplément 1

VASSULA. ENTRETIENS AVEC JÉSUS

F.X. de GUIBERT
(O.E.I.L.)
27, rue de l'Abbé-Grégoire Paris 6ᵉ

Votre génération n'a pas su apprécier le grand Amour de Dieu, c'est pourquoi vos contrées sont mises en feu par l'égoïsme, par l'impiété et par la furie de Satan.

Notre Sainte Maman, le 10.10.1990

Imitez-Moi votre Seigneur et vous vivrez.

Jésus, le 25.12.1990

Je Suis sera de retour,
Je Suis reviendra,
Je Suis sera avec nous.
Gloire au Très-Haut!

Prière dictée par Jésus, le 4.03.1991

La puissance intérieure de Mon Eglise est Mon Saint Esprit vivant et actif en Elle; comme un coeur dans un corps, Mon Saint Esprit est le Coeur de Mon Corps qui est l'Eglise.

Jésus, le 15.04.1991

Ils n'ont pas encore compris que j'ai besoin de leur cœur pour les unir. J'ai besoin de leur cœur pour y rebâtir Mon Eglise en Une. L'unité sera par le cœur. (...) L'unité ne consiste pas à vous différencier sous Mon Saint Nom; l'unité consiste à partager la Sainte Communion en croyant en Ma Présence Réelle dans l'Eucharistie. L'unité, c'est vous donner vos richesses les uns aux autres.

Jésus, le 13.04.1991

TABLE DES MATIÈRES

PRÉSENTATION

Pour qui n'aurait pas eu sous la main
les premiers tomes de ses messages,
qui est Vassula ?

Née en Egypte, de parents grecs, le 18 janvier 1942, la
carrière internationale de son mari a promené sa vie de
pays en pays : 16 ans en Afrique (Sierra Leone, Ethiopie,
Soudan, Mozambique, Lesotho), puis quelques années en
Asie, au Bangladesh. Vassula a aujourd'hui deux enfants.

Orthodoxe, elle a vécu dans son enfance un rêve qu'elle
tient aujourd'hui pour prophétique : la Vierge l'a préparée
à un mariage avec le Christ. Mais elle l'avait quelque peu
oublié. C'était une femme comblée dans les hautes
sphères de ce monde : peintre inspirée, comblée de rela-
tions mondaines et de succès, championne de tennis,
mannequin dans la capitale du Bangladesh, toutes choses
qui sont pour elle dépassées aujourd'hui : depuis qu'au
Bangladesh, en novembre 1985, son ange gardien l'a préparée à sa mission par des messages, pour lesquels sa
main était mue irrésistiblement.

Puis ce fut le Christ, qui continua à guider cette main et
dont elle apprit à entendre la Voix. Elle ne vit plus que
pour Lui, elle prie durant six heures chaque jour, au cours
desquelles a lieu le colloque où elle reçoit ces messages.

Sa silhouette blonde respire un équilibre harmonieux,
issu d'une paix profonde, sa parfaite mesure, sa discré-
tion, sa modestie, s'accompagnent d'une grande assu-
rance intérieure.

---

* Vassula a été mariée une première fois en 1966 dans l'Eglise orthodoxe
(Lausanne). Elle a divorcé en 1980. Elle s'est remariée en 1981 devant un
pasteur luthérien. Elle vit actuellement à Lausanne. On sait que l'Eglise
orthodoxe à laquelle appartient Vassula admet le divorce suivi d'un
remariage dans certains cas où l'Eglise catholique ne reconnaît pas de
cause de nullité. Vassula est en règle avec son Eglise.

Vassula n'avait pas de formation religieuse. Les messages qu'elle écrit la dépassent, ils sont pour elle une grâce passive qu'elle assume avec une énergie cachée.

Durant trente ans (1955-1985), bien que de famille orthodoxe, elle n'avait pas mis les pieds à l'église sinon pour obligations mondaines de mariage ou d'enterrement. Les révélations privées furent pour elle une conversion totale. Elle n'aspire plus qu'à rejoindre Jésus dans la vie éternelle qu'est déjà sa vie.

Elle est consciente de ses limites, des limites qui sont celles des révélations privées, marquées par la personnalité de chaque voyant: la marque de l'instrument. Elle n'a point de magistère, ni d'autorité officielle mais seulement celle de la lumière inhérente à ses messages, destinés à certains plus qu'à d'autres, en toute liberté et soumis à leur discernement. Elle accepte la critique et s'en réfère à Celui qui la guide: le Christ, et aux conseils de son directeur spirituel.

Abbé René LAURENTIN

Le premier volume des messages de Vassula (Annexe 2, p. XXVII) signalait en toute clarté que Dom Gobbi avait coupé les ponts entre son mouvement et Vassula. Le 15 juin 1991, après examen personnel de la question, Dom Gobbi a mis fin à ces réserves. Au cours d'une réunion des membres du *Mouvement sacerdotal marial* de Suisse, à Saint Maurice, il a déclaré:

Vassula a son projet dans l'Eglise et va de l'avant selon ce que le Seigneur lui indique. Elle en répondra devant le Seigneur, sans confusion, sans interférences, mais dans la plus grande fraternité et la plus grande collaboration. Il ne doit donc plus y avoir aucun motif de division, de conflit et d'hostilité. Quand donc vous faites des Cénacles du Mouvement, peuvent y venir aussi ceux qui font partie des Cénacles de Vassula.
[...] Je pense que voilà une parole de paix nécessaire pour aller de l'avant, dans la joie et la fraternité.

Ces mots ont été salués d'applaudissements. Le Père J. S. dont nous parlions en cette même annexe 2 du tome 1, p. XXVII a participé à cette réconciliation, en pleine obéissance à Dom Gobbi.

R. L.

Pour plus de renseignements, voir l'Introduction du tome I, pages VI à XXI.

INTRODUCTION

On a beau se méfier du merveilleux et de tous les phénomènes extraordinaires, en particulier quand ils concernent
notre foi chrétienne, il est des rencontres qui font choc.
Impossible de balayer d'une main les questions qu'elles
posent. Ainsi en est-il de la rencontre avec Vassula. Les lecteurs qui éprouveraient le besoin d'être rassurés – qui ne les
comprendrait ? –, peuvent se reporter au témoignage de
l'abbé René Laurentin publié en introduction au premier
volume de *La vraie vie en Dieu*. Je note seulement ces
quelques « évidences » :

Vassula réfère tout à Jésus. Cette communication ne perturbe pas sa vie ni son devoir d'état. Elle se fait dans la paix.
Beaucoup de personne en ont été saisies, converties, et
trouvent par là prière, union au Christ : une vie nouvelle...

Sa sincérité est transparente. Son union au Christ, avec
participation profonde (infuse) à sa Passion, est authentique.
Les fruits de sa prière sont positifs dans sa vie et autour
d'elle.

L'expérience m'a appris que des voyants, même authentiques, ne sont pas toujours infaillibles. Il faut donc garder
prudence et discernement.

J'ajouterai une chose : les premiers ouvrages montrent
que Vassula elle-même a longtemps craint de se tromper ou
d'être trompée ; comme tous les chrétiens visités par des
grâces extraordinaires, elle s'est en quelque sorte défendue
contre elles, par peur d'être victime d'une illusion ou d'une
ruse du démon, par souci de fidélité envers le Bien-Aimé. On
pourrait dire que Jésus a mis du temps à la convaincre vraiment. C'est là aussi un signe d'authenticité spirituelle.

En ce qui concerne le contenu des entretiens avec Jésus,
une des premières questions qui s'est posée au théologien

que je suis, c'est la souffrance de Jésus aujourd'hui à la vue des refus de l'amour. Bien sûr, comme beaucoup de prédicateurs, je n'ai pas manqué de citer l'admirable parole de Pascal : « Jésus sera en agonie jusqu'à la fin du monde : il ne faut pas dormir pendant ce temps-là. » Vassula m'a obligé à m'ouvrir à un mystère plus grand encore que je ne pensais, à une réalité devant laquelle la réflexion métaphysique sur l'Etre infini – sans faille – doit s'effacer, sans se renier, devant la révélation d'un Amour infiniment vulnérable. Dès lors tant de paroles de l'Ancien Testament, des cris d'amour d'un Dieu jaloux, ont pris pour moi une force nouvelle. Cet amour, qui s'est finalement manifesté dans le don du Fils, est comme un feu qu'aucune formulation humaine ne pourra jamais traduire vraiment, mais que les saints ont éprouvé dans leur propre chair et dans leur cœur.

Jésus se répète. Inlassablement il redit ce que tout l'Evangile proclame : son amour miséricordieux pour les pécheurs, son désir de nous sauver, l'urgence de la conversion. Tout cela, diront certains, nous le savons, nous n'avons nul besoin de révélations privées nouvelles. Oui, nous le savons, mais avec notre tête. Mille fois nous avons lu les sévères avertissements de Jésus dans l'Evangile ou dans l'Apocalypse, mais comme on lit une histoire, passionnante peut-être, qui s'est passée dans les temps anciens. Les révélations privées ne seraient-elles pas une grâce à nous offerte pour nous réveiller de notre somnolence et nous rappeler l'actualité brûlante de la Parole de Dieu ?

Le drame de la division des Eglises est souvent évoqué dans les entretiens. Chaque Eglise est invitée à la conversion, à l'humilité, à la prière. Qu'une chrétienne orthodoxe, divorcée et remariée dans l'Eglise orthodoxe, soit choisie par Dieu pour redire avec force le désir d'unité qui embrasait le cœur de Jésus dans le Discours après la Cène et qui l'embrase aujourd'hui encore, n'est-ce pas plus qu'un simple symbole ? Qu'à travers elle Dieu proclame que l'Eucharistie est le centre vital de l'Eglise, le successeur de Pierre, le roc visible sur lequel elle repose, et Marie, la Mère qui nous est donnée pour aller à Jésus, n'est-ce pas une espèce de miracle, qui nous fait dire : Dieu est là ?

Frère Jean de la Croix Kaelin, o.p.

SUITE DU CAHIER 52

12.07.91

- Mon Seigneur?
- **Je Suis. La Paix soit avec toi. Laisse-Moi Me réjouir, et fais-Moi sentir que ton oreille M'est ouverte. Ame, sens Ma Présence, Je Suis est avec toi chaque minute de ta vie. Vassula, dis-Moi : es-tu heureuse d'être avec Moi de cette façon?**
- Oui, Seigneur, très heureuse. Je Te bénis.
- **Fais Mes délices en essayant de suivre Mes Lèvres lorsque Je te parle, lorsque Je Me penche sur toi, lorsque Je te regarde; ne prétends pas que Je ne suis pas là. Ma fleur, lève la tête vers Moi et absorbe Ma Lumière. Je t'embellirai, Je revivifierai ta tige. Paix, Je te donne Ma Paix. Permets-Moi de t'utiliser comme Ma tablette rien qu'un tout petit peu de temps encore, et puis... et puis Moi, ton Sauveur, Je te cueillerai et Je te transplanterai dans Mon Jardin pour toujours et à jamais.**
- Aide-moi pendant la conférence [1].
- **C'est Moi qui parlerai, tu n'as pas de souci à te faire, Ma fille, compte sur Moi. Je vais délivrer beaucoup d'âmes; Moi ton Rédempteur, Je vais ressusciter beaucoup de coeurs pour M'adorer. Prie sans cesse, dialogue avec Moi. Bénis-Moi souvent pour tout ce que Je te donne. Tu seras toujours mise à l'épreuve; c'est, Ma bien-aimée, pour ta croissance. Je désire stimuler ton désir à Mon égard, ta soif de Moi et... ah! que ne ferais-Je pas pour ton âme, pour sa perfection. Dussé-Je te faire endurer cent coups de fouet, à t'en faire presque mourir, pour la perfection de ton âme, Je le ferais sans la moindre hésitation pour te sauver.**
- Seigneur, cela pourrait peut-être conduire une âme à tout abandonner.
- **Douterais-tu de Ma Sagesse?**
- Non, mais peut-être que certaines âmes pourraient ne pas l'accepter.

---

1. A Pittsburgh, Penn., U.S.A.

- Je connais la capacité de chaque âme, aussi aie confiance en Moi. Rappelle-toi encore une chose; veux-tu Me glorifier?
- Oui.
- Pour Me glorifier, tu dois passer par Ma Crucifixion. J'ai plus que jamais besoin d'âmes-victimes. Prie plus souvent et plie-toi à Mes requêtes. Abandonne-toi à Moi et offre-Moi ta volonté afin que J'accomplisse en toi Mes Oeuvres Divines. Porte Ma Croix quand Je suis fatigué et console Mon Coeur qui souffre de manque d'amour. Abba est près de toi tout le temps. Fais Mes délices en Me bénissant.

16.07.91

- Mon Seigneur?
- Je Suis. Ma petite, ne te décourage pas dans cet exil. Je suis à ton côté pour t'aider à porter ce fardeau; viens te reposer dans Mon Sacré-Coeur. Fais-En ton Oasis alors que tu traverses ce désert. Je ne t'abandonnerai pas, ni ne te négligerai. Je suis ton Espérance et ton dur labeur ne sera pas en vain. Très chère âme, Je t'offre Mes Passions; saturée par Mon Amour, oh! que ne ferais-Je pour toi... Le long du chemin que tu devais parcourir, J'ai disposé pour toi un tapis de roses.
Je ne dissimulerai pas combien Moi votre Sauveur Je vous aime. Aujourd'hui, Je suis en train de révéler Mon Amour Jaloux à <u>toute</u> l'humanité; Je vous révèle Ma Sainte Face pour vous rappeler d'être saints et de vivre saintement. Vous M'appartenez, créés de la Source de Mon Amour Sublime, destinés à avoir un fondement éternel en Moi et à être l'image de Ma Nature Divine; jamais la mort ne vous était destinée, mais vous avez accepté les puissances d'en bas, génération.
Ma fille, Moi le Très-Haut, J'avais prévu la trahison de Mon Eglise et les supplices que subirait Mon Corps. Aujourd'hui, le soleil ne vous donne pas la lumière du jour, pas

plus que la lune ne brille sur vous [2]; Satan a recouvert la terre entière de sa fumée; vous avez apostasié... Mon Sacrifice Perpétuel, vous en avez fait un sujet de moquerie, une imitation ne valant rien, une désastreuse abomination. Vous conciliez la Vérité avec le Mensonge, vous êtes coupables de blasphème... Ma Sainte Présence dans Mon Tabernacle vous dérange, aussi vous avez établi votre propre loi, M'expulsant hors de Mon Trône [3]. M'avez-vous demandé Mon consentement avant de le faire?

Mais ce sont les signes des Temps : votre grande apostasie et l'Esprit de Rébellion, qui est l'Antéchrist de vos jours, et l'abomination de la désolation. Ah! Vassula, mets en pratique tout ce que Je t'ai donné et partage Mon agonie, Mon enfant. Tout ce que Je veux est l'amour, la fidélité et la miséricorde [4]. Je Me sens trahi comme lorsque Judas M'a trahi.

- Viens, mon Seigneur, Te reposer dans les coeurs qui T'aiment.

- Ma fleur, Je te le dis : si Je révèle Mon Saint Esprit de cette façon à l'humanité, c'est pour vous sauver et pour vous rappeler Ma Parole. Le Saint Esprit de Vérité est Mon Témoin : Il n'apporte rien de nouveau, mais Il vous donne la Vérité Fondamentale que Moi-Même Je vous ai donnée.

New York, 18.07.91 - Fête de Notre-Dame du Mont Carmel (Rencontre avec Conchita, voyante de Garabandal.)

- Mon Seigneur, je Te remercie pour tout ce que Tu m'as donné. Je ne pourrai jamais assez louer Ton Saint Nom!

- L'Amour est près de toi. L'Amour se repose sur toi. L'Amour accomplira une chose après l'autre en Son temps. N'aie pas peur. Ton Sauveur est comme un veilleur, te gardant sans cesse. Le Plus-Haut ne t'abandonne pas.

---

2. Allusion à Mt 24.29.
3. Jésus désigne par là la nouvelle mode consistant à placer le Saint Tabernacle soit de côté, dans un coin de l'église, ou derrière dans un réduit, sous prétexte que Dieu s'y trouve en sécurité, dans un silence complet.
4. Les Lèvres de Jésus tremblaient alors qu'Il essayait de retenir Ses Larmes.

Ecoute-Moi; depuis longtemps, J'ai préparé cela. Avant même que tu sois née, Je l'avais projeté et maintenant Je le réalise. Tu vois? Je t'envoie à Mes enfants afin que tu leur donnes tes nouvelles et pour les encourager à fond. Aie foi en Moi. Compte sur Moi. Je connais tes épreuves et ta misère, mais bientôt, très bientôt maintenant, Je viendrai renverser le rebelle et régner dans tes coeurs, génération. Le Royaume de Dieu est bientôt avec vous.
Je bénis Mes chers enfants de Garabandal.
Apprenez que Je Suis est à votre côté.

ΙΧΘΥΣ

(Notre Sainte Mère m'a demandé de lire à tous 2 Co 1.10-11.)

19.07.91

- Vassula, tout compte fait, tu n'es rien, mais même un rien Me donne tant de délices! Te parler, que tu M'aimes comme ton Saint Compagnon Me procure tant de bonheur! Je te garderai et Je te placerai dans Mon Coeur. Je t'aime. Aie Ma Paix.

ΙΧΘΥΣ

- CAHIER 53 -

Rhodes, 23.07.91

"Car ton Créateur est ton Epoux,
Yahvé Sabaoth est Son Nom."
(Isaïe 54.5)

- Yahvé mon Père que j'adore et de Qui je me languis, Toi qui m'as sortie des contrées qui sont sous la terre et Qui as élevé mon âme, la pénétrant, la consumant de Ton Feu et me laissant pour Toi dans un ravissement total, Yahvé, Majesté et Roi des Rois, Toi qui me conduis sur cette route merveilleuse, garde-moi du péché et des chutes; je suis pécheresse, plus apte au péché qu'à faire le bien; fortifie Ta cité...
- **Sois en paix. Moi le Seigneur Je t'aime. Prends Ma Main et suis-Moi. Prie, Ma Vassula, car il reste encore un long chemin à parcourir jusqu'à ta perfection. Tu n'es pas exempte de péché ni de chutes, et des chutes, tu en auras mais Je suis près de toi pour t'aider à te relever et pour te presser sur Mon Coeur afin que tu sentes Mon Amour et combien Je te chéris.**
Viens, nous allons prier ensemble :

> **Père, viens à notre aide**
> **et guide nos pas vers la perfection;**
> **ramène-nous à la divinité**
> **et fais de nous la parfaite demeure**
> **de Ta Sainteté.**
> **Amen.**

- Jésus?
- **Je Suis.**
Mon Saint Esprit, Ma Vassula, ira chercher jusqu'aux confins de la terre même les moindres d'entre vous pour vous sauver de la désastreuse abomination qui maintenant habite beaucoup d'entre vous... Bientôt, les Cieux déverseront un déluge lors de Ma Venue sur vous. Moi le

Seigneur J'ai fait beaucoup de merveilles pour vous <u>et J'en ferai plus encore ces jours à venir</u>[1].

Prie, Mon enfant, prie pour ceux qui offensent Ma Sainteté et blasphèment Mon Saint Esprit, appelant sottise Mon Esprit; n'ai-Je pas dit : "... quiconque dit une parole contre le Fils de l'homme sera pardonné, mais <u>aucun</u> de ceux qui blasphèment contre le Saint Esprit ne sera pardonné" (Lc 12.10) car l'Esprit n'est pas opposé au Fils, ni le Père à l'Esprit, puisque Nous sommes tous trois d'accord (1Jn 5.8). Beaucoup d'entre vous condamnent Mes Manifestations Célestes et persécutent ceux à travers qui parle Mon Esprit parce que vous ne croyez pas qu'ils viennent de Moi. Ma fille, regarde les Plaies de Mon Corps...[2]

<u>Il Me reste maintenant très peu de temps avant que la Main de Mon Père frappe cette génération.</u> Ecoutez votre Père de Qui vous êtes issus; écoutez Sa Voix :

Par tous les moyens, J'ai cherché à vous rassembler pour vous rappeler de vivre saintement puisque Je suis Saint, mais seul un reste d'entre vous prête attention lorsque Je parle. J'ai parlé par ceux que vous jugez méprisables. J'ai parlé à travers la faiblesse et la pauvreté, <u>mais vous avez érigé en culte la persécution, jusqu'à la frénésie, de Mon Saint Esprit qui les guide!</u> Je vous ai envoyé à travers eux, l'esprit d'Elie et l'esprit de Moïse, ces deux témoins vêtus de sacs (Ap 11.3), pour prophétiser et vous rappeler Ma Loi, avant Mon grand Retour. Ils doivent vous parler en Mon Nom et vous ramener à la Vérité et à vos sens. Mais sur vous s'étend une lourde obscurité et vos prétentions à votre connaissance sont devenues un <u>champ de bataille contre Ma Connaissance: le Mensonge persécutait et persécute toujours la Vérité</u>; mais les Ecritures ne mentent jamais. Il a été dit que la Bête[3] qui monte de l'Abîme s'apprête à leur faire la guerre, à les vaincre et les tuer (Ap 11.7).

---

1. Le putsch manqué qui a précipité la chute du communisme en Russie s'est produit moins d'un mois après ce message.
2. Les vêtements de Jésus étaient trempés de Son Sang; je vis Ses chevilles couvertes de plaies sanglantes infligées par les fouets.
3. Dieu m'a fait comprendre que dans ce contexte, la Bête signifie le mensonge.

En effet, votre champ de bataille est maintenant trempé de sang innocent, parce que Mon Saint Esprit de prophétie est devenu un fléau pour ceux qui appartiennent au monde [4]. Leurs persécutions frénétiques et le rejet total qu'ils ont pour Mes porte-parole sont similaires à ceux de Sodome. Leur obstination à refuser d'ouvrir leur coeur et de se soumettre, leur refus d'ouvrir aujourd'hui leurs oreilles pour écouter Ma Voix, a dépassé l'entêtement de Pharaon en Egypte [5]. Aujourd'hui, Je vous donne "des choses que nul oeil n'a vues et nulle oreille n'a entendues, des choses dépassant l'entendement de l'homme" (1 Co 2.9), toutes ces choses qui élèvent votre esprit pour qu'il M'appelle Abba. Mon Saint Esprit vous appelle tous à la vraie dévotion et à une meilleure connaissance de Dieu Lui-Même. C'est pourquoi Je répète continuellement les mêmes vérités qui vous ont été données.

Je continuerai à t'appeler jusqu'à ce que Je perce ta surdité, génération. Je ne cesserai pas de t'appeler dans l'agonie, jusqu'à ce que J'entende de toi le mot:

Abba!

Les Nouveaux Cieux et la Nouvelle Terre sont bientôt sur vous.

ΙΧΘΥΣ

Rhodes, 24.07.91

(Message pour le groupe de prière de Rhodes.)

- Mon ardent désir de leur prêcher est au-delà de la compréhension humaine et c'est pourquoi la Sagesse est à la

---

4. Dieu fait allusion à Ap 11.10 : les deux prophètes sont un fléau pour les gens du monde.
5. Dieu fait allusion à Ap 11.8 : ... leur cadavre gît sur la place de la grande cité appelée symboliquement Sodome et Egypte...

porte de leur coeur. Nul n'est digne de Ma Sagesse; néanmoins, le Père, par Son Infinie Bonté, veut bien donner la
Sagesse à de simples enfants.
Ah!... Mes bien-aimés, vous êtes tous Ma progéniture.
Misérables vous êtes devenus et êtes toujours; cependant
quel Père ignorerait son enfant dans sa misère et le ren-
verrait continuer son immoralité jusqu'à ce que la Mort le
terrasse? N'interviendrait-Il pas pour le secourir promptement?
Maintenant que Je vous ai tirés de l'abîme, levez vos
regards vers Moi. Vos yeux doivent regarder la Perfection.
Permettez-Moi de tenir maison avec vous; vous ne le
regretterez pas...
Moi le Seigneur Je bénis chacun de vous. Soyez des vaisseaux de lumière pour les autres qui vous côtoient comme
des vaisseaux souillés, incapables de distinguer leur main
gauche de leur main droite, et ramenez-les Moi. Je vous
donnerai Ma Force, n'ayez pas peur.
La race humaine Me chagrine au point de mourir et Mon
Coeur est lacéré de voir tant d'iniquité et de péché dans le
monde. <u>Vous</u>, vous avez entendu Mes lamentations parce
que <u>Je</u> suis venu auprès de vous.
Vous avez entendu Ma Voix, réjouissez-vous!
Réjouissez-vous et soyez heureux que J'aie guéri vos yeux
qui étaient affaiblis, votre coeur qui souffrait d'anarchie. Je
vous ai fait revenir à Moi par Ma Miséricorde et maintenant, permettez-Moi de vous utiliser tous pour Mon Plan
Divin, que vous soyez jeunes ou vieux. Priez pour demander Ma Gouverne. Vous M'êtes très chers. Priez sans
cesse, car cela sera votre nourriture.

ΙΧΘΥΣ

27.07.91

- Seigneur, rends-nous parfaits dans Ta Beauté.
- **Petite, Je te donne Ma Paix. Demande toujours et cela te
sera accordé. Prie fréquemment, avec ferveur, et alors que**

le pécheur continue sans remords sa méchanceté, tu continueras à te sacrifier, à aimer et à prier pour tous ceux qui M'ont tourné le dos. Prête-Moi oreille et J'accomplirai tout ce qui doit être accompli. Moi Jésus Je continuerai à t'aider et à faire tout le travail que J'ai demandé de toi. Ma petite élève, reste près de Moi et aime-Moi. Moi le Seigneur Je t'aime et te bénis. Aie Ma Paix. Viens, l'Amour est à ton côté.

ΙΧΘΥΣ

Rhodes, 29.07.91

- Mon Seigneur, Ton Nom est une huile qui se répand (Ct 1.3), comme celle que répandent les icônes. Il est Ta signature, mon Seigneur.

"Olivier prospère, aussi fécond que vigoureux,
tel est le nom que Yahvé t'avait donné..." (Jr 11.16)

- **Ma fille.**
- Est-ce bien Toi, mon Créateur?
- **Je Suis...** [6]
Ah! Mon enfant, Je suis venu de cette façon non seulement pour toi mais aussi pour tous Mes autres enfants, pour vous demander de vivre saintement et de vous détourner de vos mauvaises façons de vivre. Laissez-Moi remplir votre espérance. J'entends venir visiter chaque sorte de misère sur cette terre et vous libérer du péché.
Je Suis est Mon Nom et Je suis Saint, aussi Je veux que vous viviez saintement. Sanctifiez vos vies en vous tournant dans Ma direction.
Le Malin n'a aucune prise sur ceux qui restent éveillés en priant sans cesse. Ouvrez vos coeurs afin que J'entre en vous pour faire en vous Ma Demeure. Ayez Ma Paix.

---

6. Pleine de joie, mais languissante du désir d'être avec Lui, j'ai soupiré.

30.07.91

- Ma Vassula, que rien ne s'interpose entre Moi et toi. Comme la lune et le soleil sont stables, suivent fidèlement le cours de la nature et ne disparaissent pas tout simplement du ciel, Moi aussi Je suis constant et suis à ton côté. Même si toutefois ils devenaient instables, Moi, jamais Je ne serai instable. Je suis, J'étais et Je serai toujours constant à ton côté. Lorsque Je Me révèle, en fait lorsque Je te révèle Mon Moi tout entier et que Je te dis que jamais Je ne t'abandonnerai ni ne te retirerai Mon don, pas plus que Je ne reprendrai Mes Joyaux, crois-Moi et n'aie pas l'ombre du moindre doute. Je t'ai ressuscitée pour que tu sois avec Moi et que tu Me suives. Aussi, Mon élève, suis ton Maître; que tes pensées se fixent sur Moi. Tu étais morte parce que tu ne M'avais jamais connu mais la Parole est venue à ton oreille et d'une bénédiction, t'a ressuscitée et du Souffle de Son Saint Esprit, t'a ravivée et a ouvert tes yeux puis, d'un Baiser de Sa Bouche, a fait de toi Son Epouse.

<u>Je vous sauverai tous de cette manière.</u>

N'aie pas peur lorsque Je viendrai avec Ma Croix, Ma Couronne d'épines et Mes Cloux pour te les offrir parce que ces Joyaux inestimables que Je t'offrirai sont ceux-là mêmes qu'avec amour J'ai embrassés ardemment; Ils sont les Instruments de ta rédemption.
Permets-Moi de t'utiliser, Vassula, afin qu'à travers toi, par l'écriture et oralement, Je puisse déverser Mon Coeur sur cette génération. Espère en Moi, désire-Moi. Ne te sens pas abattue. Je Suis est plus près de toi que jamais; ne suis-Je pas digne de plus de joie?
- Oh! oui, Seigneur! mais fais-moi ressentir davantage Ta Présence.
- J'aurai été avec toi tout ce temps, et tu ne ressens toujours pas <u>ni ne perçois Ma Présence</u>? Je t'ai prêché durant un nombre considérable d'années et tu ne Me ressens toujours pas?
- Je voudrais <u>plus</u> de Toi. Je veux être complètement inondée et <u>littéralement envahie</u> par Ton Saint Esprit.
- Viens à Moi Me manger... Me boire, et cela absolument

gratuitement! Mange-Moi et tu auras plus faim; bois-Moi et tu auras encore plus soif! Reçois-Moi avec joie afin que Je Me réjouisse. **Apprends combien Mon Coeur palpite et Se réjouit chaque fois que Moi et toi devenons un, unis dans l'amour. Viens te sanctifier en mangeant Mon Corps et en buvant Mon Sang.**
- Oui, j'ai soif de Toi, Seigneur.
- **Espère en Moi, aie soif de Moi et bientôt, très bientôt, ton Très-Saint viendra te chercher et te prendra dans Sa Demeure qui est aussi ta Demeure. Je te bénis, Ma fille.**
- Je Te bénis, mon Dieu.

ΙΧΘΥΣ

Rhodes, 2.08.91

(Pour le groupe de prière grec.)

- Jésus, mon Seigneur, béni soit Ton Nom. Que Ton Saint Nom demeure dans la gloire pour toujours et à jamais.
- **Mon Saint Nom demeure et demeurera toujours dans toute Sa Gloire.**
- Puisse Ta Main nous guider vers la Vérité, vers la Seule Vérité. Que rien ne me sépare de cette Vérité que Toi-Même Tu nous as donnée.
- **Tu es venue à Moi vide et tu es repartie comblée. Je n'ai jamais été intimidé par la grandeur ni par la force. J'ai Moi-Même rempli ta bouche de Ma Sagesse afin que tu apprennes et que tu ne tombes pas dans l'erreur. Je t'ai donné Mes instructions afin qu'en elles tu puisses trouver ta défense. Ecoute maintenant et comprends :**

   place Nos Deux Coeurs comme un Sceau sur ton coeur.

Le Coeur Immaculé de votre Mère sera votre rempart et Mon Propre Sacré-Coeur votre Demeure. Avec ce Signe scellé sur votre coeur, les renards qui font un ravage de Mes Vignobles qui maintenant sont en fruits, seront pris. Vous, Mes petits, vous êtes Notre Vigne de Nos Deux Coeurs.

Venez, Mes petits enfants, et écoutez : qui parmi vous se délecte dans la Vie Eternelle?

Adorez-Moi alors dans la splendeur de Ma Sainteté. Soyez constants dans vos prières.

Satan sera enchaîné par le Rosaire.

Soyez constants dans vos confessions, petits enfants, pour pouvoir venir Me recevoir dans la Sainte Eucharistie aussi souvent que vous pouvez. Jeûnez au pain et à l'eau deux jours par semaine pour faire réparations et sacrifices. Ne regardez ni à votre gauche ni à votre droite, regardez devant vous, là où Je Suis. Où que J'aille, vous irez; où que Je vive, vous vivrez; ce sont, Mes bien-aimés, Mes principes.

Ma Parole doit être absorbée comme votre nourriture quotidienne; elle est votre Pain Céleste, elle est votre Vie.

Venez souvent à Moi vous consacrer à Mon Sacré-Coeur et Je soufflerai sur vous, vous faisant Miens pour répandre Ma Parole aux quatre coins de cette terre; et souvenez-vous : que vos pensées soient Mes Pensées, vos désirs Mes Désirs. Imitez-Moi.

Bénis êtes-vous, vous qui ne Me voyez pas et cependant croyez.

Je laisse Mon Souffle d'Amour sur vos fronts; bénissez-Moi et aimez-Moi.

Dis-leur, Ma Vassula, combien J'honore la Chambre[7] dans laquelle J'ai été conçu.

ΙΧΘΥΣ

(Message de notre Mère bénie pour le même groupe.)

- Enfants bénis, que votre coeur soit comme un jardin, agréable au Seigneur, un lieu de repos pour votre Roi. Permettez-Lui d'entrer dans votre coeur afin que même s'Il le trouve aride et désolé, Il le transforme en un jardin de délices. Permettez-Lui de souffler en votre coeur pour le

---

7. Le Coeur Immaculé de Marie.

raviver. Son Souffle est d'un parfum des plus délicats; et puis, de Son Sang, comme la rosée du matin, Il lavera vos taches pour vous parfaire, Mes petits. Ah!... comme Je vous aime... Venez écouter votre Dieu; Sa conversation est la douceur même, la compassion dans sa plénitude.

Priez, Mes bien-aimés, priez sans cesse. Vos réponses à vos problèmes peuvent être trouvées dans une prière constante; que cela soit votre arme : priez avec votre coeur, dialoguez de cette façon avec Dieu.

Satan fuit chaque fois que vous invoquez Dieu avec amour. Aussi, aujourd'hui, demain et toujours, Je vous dirai : priez, priez, priez. Mon amour pour vous est grand; ne permettez pas à Satan de vous tenter pour Me couper de votre vue. Soyez sur vos gardes. Moi votre Sainte Mère Je vous bénis tous.

(Jésus m'a appelée.)

- Oui, mon Jésus?
- Vassula, que tes groupes de prière soient appelés : <u>Groupe de prière des Deux Coeurs,</u> puisque Nos Coeurs sont unis dans l'Amour et sont Un.
Je suis à ton côté; l'Amour est près de toi.

(Plus tard, tard dans la soirée, j'ai demandé à Jésus de m'expliquer ce qui m'arrive lorsque je vis la Passion.)

- Nous sommes unis en un seul corps, alors... Je t'étreins, Je te saisis entièrement, puisque tu es Ma propriété et J'entrave ton esprit. Comme un noyau recouvert par la chair de son fruit, Moi aussi Je te recouvre d'une manière similaire. Ton esprit s'incorpore alors dans Mon Esprit, en Moi, ton Christ. Aime-Moi, adore-Moi et prie; Je suis inséparable de toi.

Oh! viens, viens, que ton amour soit un feu inépuisable. Je Suis un Feu inépuisable qui consume les âmes, alors imitez-Moi, Moi votre Dieu. C'est Mon Désir pour chacun de vous. Aie Ma Paix.

Rhodes, 4.08.91

- Seigneur, lorsque viendra le temps de Ta visitation,

serons-nous prêts? Nul ne connaît les choses que Tu tiens cachées; cependant combien continueront à accentuer leurs persécutions contre Ton message? Ils déforment ce que Tu dis. Tout ce qu'ils en pensent, c'est comment prouver au monde que ces messages sont diaboliques, viennent de la secte "New Age" ou d'un esprit mauvais. Mais mon Yahvé que j'adore, j'entends, avec Ta Force, "acquitter envers Toi mes actions de grâce car Tu m'as sauvée de la mort pour que je marche en Ta présence..." (Ps 56.13-14).

- **Mon parfum à Moi, appuie-toi sur Moi. Ecoute-Moi : crie! Crie sans crainte aux nations : Repentez-vous! car le Temps de la Miséricorde est presque fini. Changez vos vies et vivez saintement; sacrifiez-vous et amendez vos vies avant la venue du Seigneur. Priez, priez pour ceux qui étouffent Mon Esprit; <u>priez pour ceux qui parlent d'unité mais tendent un filet pour ceux qui la pratiquent;</u> Je leur demanderai leurs comptes au Jour du Jugement, parce que J'ai appelé et aucun n'a répondu. J'ai parlé ouvertement, toutefois aucun n'a écouté. La Maison que Je suis en train de rebâtir au prix du sang de Mes saints martyrs, ils continuent à La démolir. Priez pour la Paix de Ma Maison, la paix entre frères, la sincérité dans les coeurs, l'humilité et l'amour, alors... l'unité fleurira dans chaque coeur... et Ma Cité Sainte, Jérusalem, Me glorifiera, toute unie en une seule.**

Ah! Vassula, rien n'est en vain. Mon Oeuvre qui te retient souvent tard la nuit ne sera pas perdue. Ma Parole atteindra les confins du monde. Sois rassurée, Mon enfant. Moi Jésus Christ, ta Mère, les saints et ton ange gardien sommes tous à ton côté. N'aie pas peur; ton Abba est ta Force et ton Abri. Tu M'es très précieuse, Mon enfant.

Rhodes, 5.08.91

- Seigneur, je me sens comme un bateau sans aviron! Mon esprit est loin du Tien, aide-moi!

- Ma misérable épouse, Qui prend soin de toi? Qui pourvoit à tes besoins?
- Toi, mon Seigneur.
- Dis : Toi, mon Epoux. J'ai parlé par la bouche de ton confesseur, Je suis ton Epoux. Heureuse es-tu, toi qui as reçu cette grâce; le Ciel est ton foyer. Nous?
- Oui, Seigneur, pour toujours. Mon Seigneur et mon Dieu, je Te bénis. Loué soit Ton Nom! Gloire à Dieu.
- Viens, repose ta tête sur Mon Coeur. Sens cet amour que J'ai pour toi. Sens le Ciel en toi et réjouis-toi; réjouis-toi, Ma petite, car ton Sauveur <u>est</u> avec toi et c'est Lui qui te guide et c'est Lui qui te forme à Sa ressemblance... Ah!... aie soif de Moi et désire boire les Eaux Vives de la Vie. Moi le Seigneur Je pourvoirai ton âme de cette Eau pour toujours; tu n'es pas seule, JAMAIS!
... caresse-Moi de ton amour, de tes pensées, de ton coeur, de tes bonnes actions. Ma fille et Mon épouse, Je t'aiderai.

ΙΧΘΥΣ

6.08.91

- Sauve-nous tous, Jésus! Attends, mon Seigneur, que tous Tes enfants soient convertis avant que vienne Ton Jour! Ton Trône doit bientôt descendre parmi nous mais sommes-nous tous prêts? Permets à Ta Rivière, dont les courants rafraîchissent les cités arides, de couler en nous. Seigneur, inonde-nous, envahis-nous. Assiège-nous et une fois que Tu es <u>en nous</u>, nos cités ne peuvent <u>jamais plus</u> tomber! Sanctifie Ta demeure, divinise-nous.
- L'Oint te bénit et te presse de prier. Ne désespère pas [8]. Je vous donne suffisamment de temps pour vous amender

---

8. J'avais craint que d'une façon ou d'une autre mes prières ne soient pas suffisantes, ni celles des autres qui prient, parce que nous sommes <u>si</u> peu nombreux...

mais ta génération comprendra-t-elle? Seront-ils désireux de changer leur vie? Il te faut prendre en considération, Mon enfant, les offenses qui journellement sont commises contre Moi. Combien de temps encore votre Oint doit-Il être offensé?...

As-tu quelque chose à Me dire, Ma fille?... Je n'entends rien de toi.

- Grâce! nous avons besoin de grâce pour revenir à Toi, juste comme moi. Je ne savais rien de Toi ni combien je T'offensais, mon Seigneur, jusqu'à ce que Tu viennes à moi <u>par Grâce</u>.

- Alors, continue à prier pour tes frères. Je dis : il n'en ira pas aussi sévèrement pour Sodome que pour cette génération. Te rappelles-tu de Ninive? Ils étaient au bord d'un grand désastre mais ils écoutèrent Jonas, Mon porte-parole et du plus haut jusqu'au moindre... <u>tous</u> jeûnèrent, se repentirent et firent voeu de changer leur vie et de vivre saintement. "Prenez les chemins de jadis, renseignez-vous sur les chemins du passé" (Jr 6.16), recherchez la vérité. Ma fille, heureux l'homme qui suivra Mon conseil. Laisse-Moi te dire encore une chose. Moi, l'Oint, Je vous embraserai tous de Mon Feu et vous consumerai pour donner à votre âme une nouvelle vie. Il Me reste peu de temps maintenant : ces Temps de <u>Miséricorde et de Grâce</u> sont presque finis. Je ne dissimule pas Mes Plans pas plus que Je ne cache Ma Face. Je révèle Ma Face comme jamais auparavant. Et vous, Mes bien-aimés, votre rôle est d'aller répandre ces messages de la Seconde Pentecôte, et ce que l'Esprit enseigne.

ΙΧΘΥΣ

Rhodes, 6.08.91

- Mon Esprit est avec ton esprit; c'est <u>Moi</u> qui te comble. Ah! Vassula de Mon Sacré-Coeur, rappelle-toi toujours ces paroles :

<u>Le Chemin de Ma Croix est marqué de Mon Sang</u>

et <u>tous ceux</u> qui désirent prendre cette route, Je les bénis et les oins.

Tu es pourchassée à cause de Moi. N'aie pas peur, Je suis près de toi et à ton côté pour t'encourager. Tu es condamnée mais c'est seulement par le monde. A cause de Moi, tu es mise en disgrâce par des lèvres humaines : réjouis-toi! car <u>Moi</u> aussi Je l'ai été! N'ai-Je pas dit que personne n'est plus grand que Son Maître? Tu es la risée de ton peuple[9], mais Je l'ai été aussi, Moi ton Roi. Lorsqu'ils te flagelleront sur le Chemin du Calvaire, ton sang se mêlera au Mien. Quelle plus grande faveur puis-Je t'offrir que de faire de toi un autre crucifix vivant pour Ma Gloire?

Lorsque Je vois tes pieds sur le point de trébucher, Je te soulève et te place sur Mes Epaules, comme un agneau. Viens. Avec Moi, tu seras toujours en sécurité.

- Jésus, Tu es mon Espérance, ma Force, ma Joie et mon Cantique. Je me réfugierai toujours dans Ton Sacré-Coeur.

Rhodes, 10.08.91

- Je Suis vous demande de vous abandonner journellement à Moi. Cherchez-Moi et vous Me trouverez. Moi et votre Sainte Mère vous disons : priez, priez, priez et continuez à prier. Satan vient lorsque vous dormez, aussi ne donnez pas prise à Satan. Priez car la prière <u>est</u> votre arme contre Satan. L'Amour vous aime.

ΙΧΘΥΣ

11.08.91

(Aux groupes de prière des jeunes d'Athènes et de Rhodes.)

- J'ai dit : vous êtes Mes enfants de Lumière, et J'ajouterai

---

9. Beaucoup de religieux et de théologiens orthodoxes grecs se moquent de moi.

à cela : ... **et votre Demeure est Mon Sacré-Coeur. Souvenez-vous : Mon Amour pour vous tous est Grand. N'oubliez jamais, plus jamais cela.**

ΙΧΘΥΣ

(Jésus nous a alors demandé de lire Col 3.5-17.)

Rhodes, 12.08.91
(Pour le groupe.)

- Mon Seigneur et mon Dieu?
- Je Suis. Je vais parler en toute liberté à Mes agneaux : tout ce que Je demande de vous est l'amour. Aimez-Moi sans retenue. Je suis la Source de l'Amour Sublime. Venez à Moi puiser de Moi et remplir vos coeurs pour pouvoir donner cet amour aux autres. Où que vous alliez, Je suis présent, aussi n'oubliez jamais que là où vous êtes, Je Suis. Moi le Seigneur Je vous bénis. Ayez soin de vos frères et soeurs et conduisez-les à Moi. Faites-leur voir aussi Ma Sainte Face. Mes petits enfants, Je vous ai créés par Amour pour M'aimer, Me consoler, Me louer.
Vous voulez Me glorifier? alors aimez-Moi et adorez-Moi. La porte du Ciel, ce sont les prières que vous M'adressez. Je veux des prières de votre coeur. Aussi, Je vous dis : priez, priez, priez.
Souvenez-vous que le Coeur de votre Mère et le Mien sont unis dans l'Amour.
Aussi toi, toi que Mon Coeur aime, viens à Nous Deux et Je t'offrirai ton repos dans Mon Sacré-Coeur et la protection te sera offerte dans le Coeur de ta Mère. Je suis la Résurrection et Je ressusciterai encore beaucoup plus d'entre vous comme Je vous ai ressuscités. Je suis la Miséricorde et par Mon Infinie Miséricorde, Je permets à Mon Coeur de se laisser toucher. L'Amour-et-Miséricorde est à vos portes mêmes, <u>maintenant</u>!

ΙΧΘΥΣ

Rhodes, 13.08.91

- O Yahvé, mon Dieu et Père, souris-nous. Seigneur?
- **Je Suis. C'est Moi Yahvé, ton Abba.**
- O Dieu, aie pitié de notre misère.
- **Ma fleur, Moi Yahvé ton Dieu, Je suis le plus Miséricordieux. Je suis un Océan Infini de Miséricorde, de Compassion et de Tendresse. Je vous ai donné Ma Loi mais il ne suffit pas de dire que vous connaissez Ma Loi, vous devez pratiquer Ma Loi. Il ne suffit pas non plus de dire que vous croyez que Je Suis, Je désire que vous M'aimiez et que vous M'adoriez. Même les démons croient que Je Suis, mais ils ne M'aiment pas, pas plus qu'ils ne M'adorent. Ils écoutent Ma Voix mais ils ne M'aiment pas. Soyez loyaux envers Moi et vous, vous qui êtes Ma semence, venez à Moi votre Abba et consolez-Moi. Je-Suis-fatigué, alors que vous n'êtes qu'un petit reste qui puisse Me consoler. Vous êtes la plus petite part du troupeau et Mes Yeux sont sur vous. De Son Trône, votre Abba vous dit: Je vous aime tous d'un amour éternel. Soyez bénis.**

(Plus tard.)

- Seigneur, pardonne-nous car nous n'avons vraiment pas su apprécier Ton Grand Amour. Nous n'avons pas su apprécier Ton Grand Sacrifice. Nous n'avons pas su aimer ni rester unis. Nous persistons à répéter continuellement nos erreurs. O Seigneur Jésus, nous avons désespérément besoin de Ton aide pour recouvrer nos sens. Viens nous sauver; la couronne de divinité est tombée de nos têtes. Regarde-nous, regarde notre misère, notre pitoyable dégradation, notre atrophie à ce qui est saint. Fais-nous revenir à Toi, en venant visiter chacun de nous. Comme Tu m'as visitée, visite le reste de Tes enfants et montre-leur Ton Coeur.

- Ma Vassula, Je veux entendre de chaque lèvre :

"Jésus, je T'aime; sauve mon âme et sauve aussi les âmes des autres".

Prie donc pour la conversion de ces pauvres âmes. Prie des neuvaines et <u>J'écouterai</u>. Je peux changer l'entêtement en acquiescement. Prie donc Mon Sacré-Coeur et Je ferai le reste.

18.08.91

- O Seigneur, je suis si troublée, au point d'en mourir. Aujourd'hui, c'est mon Gethsémani; mon âme est meurtrie et affligée. Satan a manifestement résolu de me prendre pour cible et de me mettre en pièces. Impitoyablement, il me transperce de part en part. Je suis la cible de mes persécuteurs, alors où est mon espoir?
- <u>Dans Mon Sacré-Coeur, Ma colombe.</u> Ton abri est Mon Sacré-Coeur. Tourne-toi vers Moi et Mon Esprit te consolera. Offre-Moi tes difficultés et Je les enfouirai dans Mon Coeur. J'en ferai bon usage; Je libérerai des âmes du purgatoire... alors oublie tes difficultés de ces jours et repose-toi en Moi, ton Dieu. Je suis un Océan de Paix. Donne-Moi, Ma fille, toutes tes tribulations et Ma Paix les annihilera. Aie Ma Paix, Mon agneau. Moi Je t'aime; Moi J'offre la Paix. Repose-toi en Moi. Va maintenant en Paix.

ΙΧΘΥΣ 

19.08.91

- Seigneur, lorsque des artisans de paix [10] guidés par le Saint Esprit oeuvrent pour la paix, semant des graines qui portent de bons fruits, pourquoi doivent-ils s'entendre dire

---

10. Ceux qui évangélisent, diffusant la Parole de Dieu pour ramener le monde à Dieu et le réconcilier avec Dieu.

de garder le silence? Pourquoi sont-ils pourchassés? Pourquoi ne les croit-on pas? Pourquoi ces incrédules? **- Parce qu'ils [11] sont achetés par des marchands comme des denrées coûteuses. Le rationalisme embue leur esprit, émousse leur sens du discernement et tue leur humilité. Comme Sodome et Egypte, ils rejettent tout ce qui vient de l'intérieur de l'Eglise, la puissance intérieure qui est :**

<u>Mon Saint Esprit.</u>

Néanmoins, Je te donnerai Ma Force pour poursuivre car c'est Ma Volonté.

20.08.91

- Comme cela sera merveilleux pour tous les chrétiens, de vivre ensemble comme des frères! Combien plus grande sera Ta Gloire, à nous voir humbles, autour d'un seul Tabernacle et Autel, Te louant d'un seul coeur, d'un seul esprit et d'une seule voix... Toutefois, lorsque j'obéis à Tes ordres et que je témoigne de l'unité, je ne suis ni crue ni comprise. Comme des pierres de moulin, ils m'écrasent sur le sol.
- Mon enfant, l'Oint est ton Berger et Il veille sur toi en t'ouvrant le chemin. Revêtue de Mes Bénédictions, tout ce que Je demande de toi est de transmettre aux nations l'Amour que Je t'ai donné. Permets-Moi d'utiliser ta petite âme. Abba te tient dans Ses Bras. Je Suis <u>est</u> avec toi. Regarde-Moi, que ne ferai-Je pour toi?... et toi, peux-tu dire de même?
- Oui, Seigneur.
- Alors, lève-toi et continue à témoigner. Ta course n'est

---

11. Les incrédules.

pas finie, mais ne perds pas courage, Je suis à ton côté pour encourager ton petit coeur. Tes chevilles sont liées aux Miennes et Mes Lèvres sont collées à ton oreille pour te murmurer et te rappeler que tu n'es pas plus grande que Ton Divin Maître.

Toi qui es seulement Mon élève, ne t'infligeront-ils pas les mêmes marques qu'à ton Maître, le Premier des Martyrs?

Ma fille, aime-Moi et Je continuerai à déverser sur toi les Richesses de Mon Sacré-Coeur, toute cette Abondance qui a été réservée pour votre Temps. Jadis, J'ai dit que de Mon Sacré-Coeur, J'accomplirai à la Fin des Temps des Oeuvres comme jamais auparavant, des Oeuvres qui vous émerveilleront, pour montrer la rayonnante gloire de Mon Sacré-Coeur. J'ai promis que J'exposerai entièrement et de tout coeur Mon Sacré-Coeur pour attirer les coeurs parce que Mes Paroles sont plus douces que le miel. Tout sera accompli en son temps, aie confiance en Moi. Ne laisse personne te tromper, Mon enfant : Mon Don a déjà fait Ses preuves. Je te bénis. La Sagesse continuera Ses Bonnes Oeuvres avec toi.

30.08.91

- Mon Seigneur et ma Vie.
- Je Suis. Le silence est la meilleure arme après la prière. Bientôt Je piétinerai Mon ennemi.

Vassula, écoute-Moi : Votre Très-Saint <u>est</u> en train de ressusciter la Russie pour qu'elle soit une nation noble. La Russie sera rendue parfaite dans les bras de son Epoux; Moi le Seigneur Je la rendrai parfaite.

Ne t'ai-Je pas dit, Mon enfant, que J'ai Ma Main sur son coeur froid, pour le réchauffer? [12]

Et le jour où Mon épouse ouvrira ses yeux et Me verra Moi

---

12. Voir le message prophétique du 11 mars 1988 sur la Russie.

son Epoux debout à son côté, elle verra et comprendra ce que Mes Mains ont fait en elle et de là, la Russie Mon épouse, ouvertement, proclamera Saint Mon Nom et tous les esprits mauvais qui rôdent en elle fuiront. Je vous ai dit toutes ces choses avant qu'elles arrivent afin que vous croyiez que c'est Moi, le Tout-Puissant qui vous guide.

Ecoutez-Moi. Je ne dissimulerai pas Mes Plans. Si des hommes sont tentés de dissimuler Mes Plans, Moi de Ma propre Main, Je dévoilerai tout à vous tous avant que cela arrive. Le Très-Saint vous a avertis. Je n'ai menacé aucun d'entre vous.

Un Rayon de Lumière du Ciel viendra à l'intérieur de Mon Corps [13] et changera la face de cette terre et apportera la paix parmi les frères [14]. Ce sera la récompense des prières, des sacrifices, des pénitences, de la constance et de la foi des saints martyrs.

N'ayez pas peur quand viendra l'heure de la grande détresse si vous étiez constants et gardiez votre foi car cette Heure doit venir pour changer la face de cette terre. Ainsi tout ce qui a été dit à Fatima sera accompli. Le Père vous aime tous et Il ne juge personne. Le Moissonneur est déjà à l'oeuvre. Les oeuvres du Père vous étonneront tous.

Et quant à toi, Mon enfant, relis Mes messages. N'ai-Je pas dit que Moi le Seigneur ai fait beaucoup de merveilles pour vous et que J'en ferai encore plus ces jours à venir? [15]

Vois-tu comme Mes prédictions se vérifient?

Et maintenant Je vous dis, bientôt les Cieux déverseront un déluge lors de Ma Venue sur vous. Mon Feu sera précipité sur cette terre pour brûler ses crimes. Je ne retiendrai pas Ma Main. Mon Saint Nom est profané journellement et Mes observances sont méprisées. C'est pour accomplir les paroles dites dans les Ecritures.

---

13. L'Eglise.
14. Ici, j'ai compris que le Seigneur faisait allusion à l'UNITE des Eglises.
15. Dieu fait référence à Son message du 23 juillet 1991 où Il dit qu'Il fera encore plus de merveilles ces jours à venir, prédiction faisant allusion à la chute du communisme en Russie.

Ecris : "Immédiatement il y eut un violent tremblement de terre et un dixième de la cité s'effondra. Sept mille [16] personnes furent tuées dans le tremblement de terre et les survivants, transis de peur, ne pouvaient que louer le Dieu du Ciel" (Ap 11.13) [17].

Il reste très peu de temps maintenant; pardonnez à votre prochain pendant que vous en avez encore le temps. Faites des réparations, jeûnez. Si tu es un pécheur qui sème le trouble entre amis, repens-toi; pour l'amour de Mon Saint Nom, reviens à Moi. Tu es maître de ta volonté mais pas de Mes Plans et Je t'exhorte à te rendre rapidement.

Satan envoie inlassablement ses adeptes à vous tous. Soyez plus que jamais sur vos gardes. Son règne est proche de sa fin. C'est pourquoi il va vomir sur cette terre juste une dernière fois espérant balayer autant d'âmes qu'il pourra. C'est pourquoi <u>il faut</u> qu'il y ait constance et foi en vous parce que vous pouvez éviter et même empêcher que Satan vomisse sur cette terre.

Courage, Ma fille, relève la tête et appuie-toi sur Moi. Je continuerai à t'aider.

ΙΧΘΥΣ

- Seigneur tout Miséricordieux,
que reviennent à Toi ceux qui disent
"nous allons faire selon notre idée"
et que reviennent à l'obéissance au Pape
ces chrétiens qui lui disent
"nous allons faire selon notre idée".
Que leur orgueil humain baisse son regard
et que leur arrogance s'humilie.
Amen.

---

16. Sept mille, c'est-à-dire un très grand nombre.
17. Lire aussi Mt 24.22; Mt 24.29-30.

3.09.91

- Seigneur, Père et Maître de nos vies,
ne nous abandonne ni maintenant
ni à l'heure de la détresse.
Seigneur, Père et Maître de nos vies,
aide la Russie à croître dans Ton Esprit,
Toi Qui as transpercé le Dragon Rouge qui l'avait
assiégée.
Seigneur, Père et Maître de nos vies,
sauve-nous du Rebelle qui demeure toujours parmi
nous.

Ah! Mon enfant, par Mon Feu Purificateur, Je vous ensei-
gnerai tous; attends et tu verras. Maintenant, écoute-Moi
et écris, Mon enfant:
Il y a peu de temps, la plupart des nations du monde n'au-
raient jamais cru que l'ennemi, le Dragon Rouge, perdrait
son pouvoir en Russie aussi soudainement.
Vassula, si ta sœur la Russie s'est rebellée contre Moi, cela
est dû aux péchés du monde et à ses crimes. La tyrannie
vient d'en bas.
- Mais qu'ont éprouvé ses enfants, ces martyrs qui T'appartiennent?
- Comment puis-Je décrire ce que ses enfants ont souffert;
à quoi puis-Je les comparer, Ma fille? tout le Ciel était en
deuil pour ses enfants. Ses fils se trouvaient sans res-
source, mais qui était auprès d'eux pour les pleurer? Y
avait-il parmi eux quelqu'un qui soit assez fort pour trans-
percer le Dragon? Pas tant que leur peau était collée à
leurs os. Ses enfants allaient mendier du pain; oppressés
par l'ennemi, ils s'écroulaient sous leur fardeau. S'ils
venaient secrètement trouver refuge en Moi ou s'abriter
dans Mes Bras, ils étaient sévèrement punis. Il ne leur était
pas permis de montrer leur zèle pour Moi. Leurs poursui-
vants étaient plus rapides que des vipères, guettant
chaque pas qu'ils faisaient et s'ils avaient quelque suspi-
cion que sous leur matelas était caché le Livre de Vie, Mes
fils et Mes filles étaient harcelés et traqués, puis capturés.
Ah! Ma fille! Mes Yeux ont pleuré continuellement de voir
cette nation réduite au silence par l'épée. Prêtres et prophètes étaient faits prisonniers et étaient forcés d'habiter

dans l'obscurité. **Beaucoup d'entre eux ont été massacrés sans pitié sous Mes Yeux mêmes.**
Cette nation qui, un moment donné, M'honorait et Me louait ouvertement, rayonnante comme un saphir, une citadelle de délices, fut réduite en un désert, un pays de sécheresse par les péchés et les crimes du monde!
Je te dis, Ma fille, la Russie ta sœur ne vous a pas encore montré ce qu'elle va accomplir en Mon Nom.
Le Jour du Festival est encore à venir, et comme Je voudrais qu'il soit déjà là! Priez, priez pour ce Jour Glorieux.

9.09.91

- Mon Jésus?
- **Je Suis. Aime-Moi, Vassula, cela apaise la colère de Mon Père envers cette génération. J'ai prié le Père pour toi, Ma petite, pour te libérer de "l'épine" que tu avais prise de Moi** [18]...
- Seigneur, s'il Te plaît, confirme ce que je viens d'entendre de Toi en me désignant un passage de l'Ecriture.

(J'ai ouvert la Sainte Bible au hasard et mon doigt est tombé sur Luc 22.42 où il est dit: "Père, si Tu le veux, éloigne cette coupe de moi; cependant que soit faite Ta Volonté, non la mienne".)

- **Sois bénie. Je te guiderai.**

ΙΧΘΥΣ

---

18. L'"épine" dont parle Jésus se réfère au message du 18.06.91. Cette épine était donnée à Jésus par l'un de Ses bien-aimés qui persécute activement le Message. Satan l'a troublé et maintenant l'utilise à ses fins. J'avais offert à Jésus de prendre sur moi cette épine qu'Il portait. Cela signifiait une épine de moins sur Jésus.

11.09.91

- Seigneur, je regarde les Cieux et je cherche les Choses du Ciel; je cherche Ta Sainte Face pour que je sente la Paix et puisse m'en réjouir; je cherche Ta Sainte Face pour pouvoir La contempler.

- Et Moi, pour Ma part, Mes Yeux considèrent le monde d'aujourd'hui, nation après nation, scrutant âme après âme à la recherche d'un peu de chaleur, d'un peu de générosité et d'un peu d'amour. Mais très très peu ont Ma faveur. Très peu se soucient de vivre une vie sainte. Et les jours fuient et les heures sont maintenant comptées avant la grande rétribution.
Mes cités[19] sont devenues celles de prostituées! Impitoyables! Elles sont devenues des citadelles pour les démons! TOUTES CORROMPUES DE L'INTERIEUR, rongées par les vers! Un refuge pour la vipère et le scorpion! Comment ne pourrais-Je pas souffler sur ces renégats mon Feu Purificateur?...

(Soudain, Jésus a changé de ton, et après avoir attendu quelques secondes, d'un ton très grave qui m'a terrifiée, Il a dit:)

La terre tremblera et sera secouée.

- Et tout le mal édifié en Tours[20] s'effondrera en un tas de décombres et sera enseveli dans la poussière du péché! Au-dessus, les Cieux seront secoués et les fondations de la terre seront ébranlées!
Priez pour que la Main du Père ne tombe pas en hiver.
Les îles, les mers et les continents seront visibles par Moi inopinément par le tonnerre et par la Flamme.
Ecoutez attentivement Mes derniers mots d'avertissement, écoutez maintenant qu'il est encore temps.
Lisez Nos messages[21] et arrêtez d'être méprisants ou sourds quand le Ciel parle.

---

19. Le mot "cités" est utilisé ici par Dieu pour signifier: âmes.
20. Comme la tour de Babel.
21. Ceux de Jésus et de Marie, les Deux Témoins.

<u>Baissez vos voix et vous entendrez les Nôtres.</u>

Réfléchissez à deux fois avant de juger, réfléchissez à plus de deux fois avant de condamner les Œuvres du Saint Esprit. Je n'épargnerai aucun de ceux qui se moquent du Saint Esprit, Le blasphémant impudemment. La Justice le précipitera dans le monde d'en dessous.
Levez tous vos faces et cherchez les Cieux pour contempler Ma Sainte Face!
Levez vos yeux vers le Ciel et vous ne périrez pas. <u>Repentez-vous!</u> Et demandez au Père de s'attendrir.
Bientôt, très bientôt maintenant, les Cieux s'ouvriront et Je vous ferai voir

le Juge.

- CAHIER 54 -

15.09.91

- Appuie-toi sur Moi. Bénie de Mon AME, je Te donne Ma Paix. Ecris:

O Jérusalem! [1] Tourne tes yeux à l'est et à l'ouest, tourne tes yeux au nord et au sud et Je Suis là! Je te dis en vérité que Mon Esprit une fois de plus sera déversé sur toi et Mon Image sera répandue d'un bout à l'autre de la face du monde. Ce que J'ai projeté arrivera et ce que Je t'ai dit va s'accomplir. Viens près de Moi et écoute attentivement: Je viens aujourd'hui jusqu'au seuil de ta porte, portant la bannière de la Paix. Je viens te sauver, Jérusalem. Il y est écrit: <u>Fidèle et Véridique</u> (Ap 19.11), <u>Roi des rois et Seigneur des seigneurs</u> (Ap 19.16).

Entendrai-Je maintenant de toi, Jérusalem: "Mon Roi, c'est Toi que je dois adorer", ou vas-tu continuer à ignorer Celui Qui t'offre Sa Paix maintenant?...

Vas-tu reconnaître, en ces derniers jours avant le Jour de Rétribution, Mon Saint Esprit qui est descendu d'en-haut dans toute Sa Gloire pour tenir maison avec toi?

Durant ta vie entière, génération, tu t'es moquée de Ma Loi et tu t'en es détournée, te rebellant. Vas-tu enfin te mettre à te préparer pour Me rencontrer, Moi ton Dieu? Je M'apprête à traverser bientôt ta Cité! [2] et ce sera plus tôt que tu le penses! Ce seront Mes derniers avertissements; Je te dis solennellement:

> réveille-toi de ton profond sommeil!
> tu te diriges vers ta ruiune;
> secoue la poussière qui te couvre
> et ressuscite des morts;
> La Fin des Temps [3]
> est plus proche que tu le penses.

---

1. C'est-à-dire: ô génération!
2. C'est-à-dire: nous, qui sommes les "cités" de Dieu.
3. La Fin des Temps n'est PAS la fin du monde; c'est la fin d'une époque.

(Phase 1)

Bientôt, très bientôt, J'ouvrirai soudainement Mon Sanctuaire dans le Ciel et là, de tes yeux dévoilés, tu percevras comme une révélation secrète: des myriades d'Anges, de Trônes, de Dominations, de Principautés, de Puissances, tous prosternés autour de

l'Arche de l'Alliance.

Puis, un Souffle effleurera ton visage, et les Puissances du Ciel trembleront, les éclairs de la foudre seront suivis du fracas du tonnerre. "Soudainement viendra sur toi un temps de grande détresse, sans précédent depuis le jour où les nations ont connu l'existence" (Dn 12.1); car Je vais permettre à ton âme de percevoir tous les événements de ton existence: Je les dévoilerai l'un après l'autre. A la grande consternation de ton âme, tu réaliseras combien tes péchés ont fait couler de sang innocent d'âmes-victimes. Alors, Je ferai voir et prendre conscience à ton âme combien tu n'as jamais suivi Ma Loi. Comme un parchemin qui se déroule, J'ouvrirai l'Arche de l'Alliance et Je te rendrai conciente de ton irrespect envers la Loi.

(Phase 2)

Si tu es encore en vie et debout sur tes pieds, les yeux de ton âme verront une Lumière éblouissante, comme les miroitements d'innombrables pierres précieuses, comme les feux de diamants cristallins, une Lumière si pure et si éclatante que, bien qu'en silence des myriades d'anges soient présents alentour, tu ne les verras pas complètement parce que cette Lumière les dissimulera comme une poussière d'or; ton âme ne percevra que leurs silhouettes mais pas leurs visages. Alors, au milieu de cette éblouissante Lumière, ton âme verra ce que dans cette fraction de seconde elle a vu jadis, à ce moment précis de ta création...

Ils verront:
Celui qui le premier
vous a tenus dans Ses Mains,

les Yeux qui les premiers
vous ont vus;

ils verront:
les Mains de Celui Qui
vous a formés et vous a bénis...

ils verront:
le Plus Tendre Père, votre Créateur,
tout revêtu d'une redoutable splendeur,
le Premier et le Dernier,
Celui qui est, qui était et
qui doit venir,
le Tout-Puissant,
l'Alpha et l'Oméga:

Le Souverain.

Abasourdie en prenant conscience, tes yeux seront paralysés de crainte en voyant les Miens qui seront comme deux Flammes de Feu (Ap 19.12). Alors, ton cœur reverra ses péchés et sera saisi de remords. Dans une grande détresse et une grande agonie, tu souffriras de ton irrespect de la Loi, réalisant combien tu profanais constamment Mon Saint Nom et comme tu Me rejetais Moi ton Père... Frappée de panique, tu trembleras et tu frémiras lorsque tu te verras toi-même comme un cadavre en putréfaction, dévoré par les vers et par les vautours.

(Phase 3)
Et si tes jambes te soutiennent encore, Je te montrerai ce que ton âme, Mon Temple et Ma Demeure, nourrissait durant toutes les années de ta vie. A ton grand effroi, tu verras qu'au lieu de Mon Sacrifice Perpétuel, tu chérissais la Vipère et que tu avais érigé cette Désastreuse Abomination dont a parlé le prophète Daniel (Mt 24.15) dans le domaine le plus profond de ton âme:

le Blasphème,

le Blasphème, qui coupe tous les liens célestes qui t'attachent à Moi ton Dieu et crée un gouffre entre toi et Moi ton Dieu.

Lorsque viendra ce Jour, les écailles de tes yeux tomberont afin que tu perçoives combien tu es nue et comme en toi, tu es un pays de sécheresse... Malheureuse créature, ta rébellion et ton déni de la Très Sainte Trinité ont fait de toi un renégat et un persécuteur de Ma Parole. Alors, tes lamentations et tes gémissements ne seront entendus que de toi seule. Je te le dis: tu te lamenteras et tu pleureras, mais tes lamentations ne seront entendues que de tes propres oreilles. Je ne peux que juger comme il M'a été dit de juger et Mon jugement sera juste. Comme il en fut au temps de Noé, ainsi en sera-t-il lorsque J'ouvrirai les Cieux et que Je vous montrerai l'Arche de l'Alliance. "Car en ces jours avant le Déluge, les gens mangeaient, buvaient, prenaient femmes, prenaient maris, jusqu'au jour où Noé est monté dans l'arche, et ils ne soupçonnaient rien jusqu'à ce que le Déluge vienne tout balayer; ainsi en sera-t-il également en ce Jour" (Mt 24.38-39).

Et Je vous le dis, si ce temps n'avait pas été abrégé par l'intercession de votre Sainte Mère, des saints martyrs et des mares de sang répandu sur la terre, depuis Abel le Saint jusqu'au sang de tous Mes prophètes, <u>aucun d'entre vous n'y survivrait!</u>

Moi votre Dieu, J'envoie ange après ange annoncer que Mon Temps de Miséricorde arrive à sa fin, et que le Temps de Mon Règne sur terre est à portée de main. Je vous envoie Mes anges témoigner de Mon Amour "à tout ce qui vit sur terre, à chaque nation, à chaque race, à chaque langue et à chaque tribu" (Ap 14.6). Je vous les envoie comme apôtres des derniers temps pour annoncer que "le Royaume du monde deviendra comme Mon Royaume d'en-haut et que Mon Esprit régnera pour toujours et à jamais" (Ap 11.15) parmi vous.

Dans ce désert, Je vous envoie Mes serviteurs les prophètes crier que vous devriez:

"Me craindre et Me louer
parce que le Temps est venu pour Moi
de siéger en
jugement!" (Ap 14.7)

Mon Royaume viendra soudainement sur vous, c'est

pourquoi vous <u>devez</u> avoir constance et foi jusqu'à la fin.
Mon enfant, prie pour le pécheur qui est inconscient de
son délabrement;

> prie pour demander au Père de pardonner
> les crimes que le monde commet sans cesse;
> prie pour la conversion des âmes;
> prie pour la Paix.

ΙΧΘΥΣ

19.09.91

- Mon Seigneur, Tu es ma Coupe et mon âme se réjouit en
Toi. Ta grande Tendresse me soutient dans cette traversée
du désert, mon côté à Ton Côté, ma main dans Ta Main.
"C'est pour Toi que j'essuie des insultes qui me couvrent
de honte et font de moi un étranger pour mes frères, un
inconnu pour les fils de ma patrie; mais le zèle pour Ta
Maison me dévore! (Ps 69.8-10).
- Vassula, laisse-Moi murmurer Mes Paroles à ton oreille,
que tu puisses Me glorifier. N'écoute pas, Mon agneau, ce
que dit le monde, parce qu'Il n'en vient rien de bon;
écoute-Moi, <u>Moi</u> qui suis ton Père, et en écoutant
attentivement, tu mèneras à bonne fin l'œuvre que Je t'ai
confiée. Compte sur Moi, Mon enfant, et viens Me
demander conseil, viens à Moi pour être consolée. Viens à
Moi lorsque la fièvre de ce monde s'élève contre toi et te
brûle, viens vite à Moi ton Abba et Je guérirai tes cloques.
Je suis Celui qui t'aime le plus tendrement et Je prendrai
toujours soin de toi pour te ramener à la santé. Je
panserai toujours les plaies que t'inflige le monde pour
l'amour de Mon Saint Nom et pour avoir témoigné de Mon
Amour. Souviens-toi: du haut du Ciel, Je Suis veille sur toi
et prend soin de tous tes problèmes: rappelle-toi aussi que
tout ce que tu fais n'est pas pour tes intérêts ni pour ta
gloire mais pour les Intérêts et la Gloire de Celui qui t'a
envoyée. Que Mon Esprit de Vérité brille sur toi afin qu'à
ton tour, tu reflètes Mon Image, rappelant au monde Mon

Vrai Visage, puisque le monde semble avoir oublié Ma Vraie Image. Dans peu de temps, vous apprendrez tous comment vivre une

Vraie Vie en Dieu

et comment être avec Moi comme la Sainte Trinité est Une et la même, parce que tous Trois Nous sommes d'accord.

Mes petits enfants, Je ne serai pas long; Je suis déjà sur le Chemin de Mon Retour. Je vous le dis avant que cela arrive, afin que lorsque cela arrivera, vous croyiez que cette Voix que vous avez entendue durant toutes ces années venait de Moi. Je vous dis cela afin que vous vous réjouissiez, parce que Moi aussi, Je Me réjouis de ce Jour où la tête de Satan sera écrasée par le talon de Ma Mère. Ecoutez-Moi: Je déverserai Mon Esprit sur cette génération mauvaise pour attirer les cœurs et ramener chacun à la complète Vérité, à vivre

une Vie Parfaite en Moi votre Dieu.

Mais soyez braves, parce qu'il y aura encore un Feu avant Mon Jour; cependant, n'ayez pas peur et ne soyez pas tristes, parce que sans ce Feu, la face du monde ne peut pas changer... et lorsqu'Il viendra, Il montrera au monde combien il était dans l'erreur. Il montrera son impiété, son rationalisme, son matérialisme, son égoïsme, son orgueil, sa cupidité et sa méchanceté, bref, tous ces vices qu'adore le monde.

Nul ne peut dire que Je n'ai pas dévoilé le début de Mes Plans. Nul ne peut dire que Je vous ai caché Mes Plans.

Je suis La Vérité

et La Vérité ouvrira toujours Son Coeur et vous exposera toujours Ses Plans fervents tels qu'ils sont... La Vérité vous donnera toujours le Choix de faire vos preuves auprès d'Elle. Si Je ne vous avais pas parlé, si Je ne vous avais pas ouvert les Cieux maintenant, vous seriez excusés; mais Je vous ai appelés jour et nuit, sans cesse.

Je vous ai envoyé Mes anges pour vous parler. Du néant, J'ai élevé des âmes misérables et Je les ai formées en fervents disciples pour aller frapper à vos portes et vous répéter les Paroles que Moi-même Je leur ai données. Non, ils ne parlaient pas d'eux-mêmes, mais ils ne faisaient que répéter la Connaissance dont Moi-même Je les avais instruits. Ils sont venus à vous, dans leur pauvreté et pieds-nus, pour vous parler des choses qui sont à venir, n'ajoutant ni ne retranchant quoi que ce soit de ce que Je leur avais donné. Tout ce qu'ils ont dit était pris de la Sagesse Elle-même.

Maintenant, Je vous dis solennellement que lorsque viendra ce Jour de Purification, beaucoup seront affligés au point d'en mourir pour n'avoir pas permis à Mon Saint Esprit de Vérité d'entrer dans leur maison [4], mais avoir accueilli à Sa place la Vipère, l'Abomination de la désolation, et avoir partagé leur repas côte à côte avec Mon ennemi. Ils ont accueilli dans leur maison celui qui singe le Très-Haut; ils ont adoré le Trompeur, qui leur a appris à se méprendre sur Mon Saint Esprit :

<u>Celui Qui donne la Vie,</u>
<u>La Puissance Intérieure de leur âme,</u>

Celui qui, en eux, a insufflé une âme active et a inspiré un esprit vivant. Je vous dis solennellement : Mon Feu va descendre en ce monde plus vite que vous vous y attendez, afin que ceux qui n'ont pas la vue de leurs péchés puissent voir soudainement leurs fautes. Il est en Mon Pouvoir de faire avancer ce jour et il est encore en Mon Pouvoir d'abréger cette Heure, car cette Heure apportera tant de détresse que beaucoup maudiront l'heure de leur naissance. Ils voudront que les vallées s'ouvrent pour les engloutir, que les montagnes tombent sur eux et les recouvrent, que les vautours les anéantissent promptement. Ils voudront se mettre en pièces. Mais nul n'échappera à cette Heure.

---

4. C'est-à-dire dans leur âme.

Ceux qui M'aiment vraiment souffriront seulement de n'avoir pas fait plus pour Moi. Eux aussi seront purifiés; mais malheur à ceux qui Me rejetaient et refusaient de Me reconnaître; ils ont déjà leur juge : La Vérité qui leur était donnée sera leur juge en ce Jour.
Maintes fois par Mes porte-parole vous M'avez entendu dire que

"le Jour du Seigneur est à portée de main"

et que Mon Retour est imminent. Si vous M'aimiez, vous seriez heureux d'apprendre que Mon Saint Esprit viendra sur vous dans toute sa force et dans toute sa gloire. Si vous M'aimiez, vous continueriez à prier pour la conversion de tous Mes enfants qui sont inconscients et vivent toujours sous le pouvoir de Satan. Si quiconque M'aimait comme Je vous aime tous, il M'écouterait et resterait fidèle jusqu'à la fin de son ministère.
Mes petits enfants, si vous M'aimiez, vous accompliriez des oeuvres même plus grandes que celles que J'accomplissais lorsque J'étais sur terre; mais nul n'a encore accompli quoi que ce soit de plus grand à cause de la foi tellement faible que vous avez en Moi et de l'amour plus médiocre que jamais que vous avez les uns pour les autres. Nul ne M'a encore aimé autant que Je vous aime. Mais au Jour de la Purification, vous comprendrez combien peu vous avez fait, parce qu'en vous, Je vous montrerai Ma Sainte Face.
Tu entends ces pas? ce sont les Miens. Tu entends déjà le bruit de Mon Souffle? c'est le doux bruit de Mon Saint Esprit soufflant à travers votre désert et votre aridité. Tu as senti un Souffle effleurer ton visage? n'aie pas peur : comme les ailes de la Colombe, Mon Saint Esprit t'a touché légèrement en voletant au-dessus de toi.
Oh! venez! venez à Moi et, comme Moïse a dressé le serpent dans le désert, Moi aussi J'élèverai votre âme à Moi et vous raviverai! Comme Je fus élevé au Ciel, vous aussi, vous serez élevés à Moi pour être nourris à Mon Sein.
Oh! venez à Moi! ayez encore soif, ayez soif de Mes Puits Eternels, ayez soif d'être avec Moi votre Dieu! Sans hésitation, Je vous offrirai à boire et en vous, Je changerai

Mon Eau en une source jaillissante jusqu'à la vie éternelle, car de Mon Sein jaillissent des fontaines d'eau vive, une Source inépuisable. Oh! venez à Moi! ayez encore faim de Mon Pain et vous ne mourrez pas! Aujourd'hui, comme hier, Je Me tiens debout et Je crie : "quiconque, s'il a soif, qu'il vienne à Moi! qu'il vienne et qu'il boive, l'homme qui croit en Moi!" (Jn 7.37). Ma tolérance est grande et bien que Je sache que vous êtes pécheurs et que vous avez pollué la terre de sang innocent [5], si vous venez à Moi repentants, Je pardonnerai votre faute et votre crime. Je suis un Abîme de Grâce. Ne soyez pas effrayés... n'ayez pas peur de Moi; craignez plutôt l'Heure, si elle vous trouve inconscients et endormis.

C'est la Voix de votre Père;
C'est la Voix de la Sublime Source de l'Amour;
C'est la Voix de Celui Qui a dit un jour :

"Que la lumière soit!"

et la lumière fut.

Venez à Moi et Je vous donnerai Mon Esprit sans réserve. Ne soyez pas comme les soldats qui, au pied de Ma Croix, ont partagé Mes vêtements et se les sont tirés au sort! Venez à Moi avec l'esprit de Jean, <u>venez à Moi par amour</u>. Venez à Moi pour Me consoler et pour être avec Moi. L'Heure approche où le monde ne se trouvera plus que dans la détresse et l'obscurité, dans la noirceur de l'angoisse et ne verra plus rien que la nuit. Abasourdis, ils feront appel à Moi, mais Je ne répondrai pas; Je n'écouterai pas leurs cris. Frénétiquement, ils blasphémeront Ma Révélation, la Sagesse et la Vérité. Le monde entier sera submergé par la détresse à la vue de

L'Arche de l'Alliance,
Ma Loi.

---

5. Jésus m'a fait comprendre qu'il s'agit particulièrement des avortements.

Beaucoup tomberont et seront brisés, ébranlés et secoués à cause de leur esprit d'anarchie.
Lorsque les cieux s'ouvriront comme un rideau déchiré en deux, leur montrant comment ils ont rejeté Ma Gloire [6] pour une imitation sans valeur, comme des étoiles qui tombent du ciel, ils tomberont, réalisant alors combien la Folie les avait égarés; combien essayer de grimper jusqu'au sommet pour rivaliser avec Moi n'était que folie!
Lorsque viendra ce Jour, Je montrerai au monde combien il était mauvais, comment il s'était lié d'amitié avec le Rebelle et avait dialogué avec lui plutôt qu'avec le Très-Saint.
L'heure est venue où constance et foi, prières et sacrifices, sont vitaux, ils sont devenus une URGENCE!
Mes petits enfants, vous qui maintenant êtes tristes, bientôt vous vous réjouirez.
Viens, prions :

> Père Tout-Miséricordieux,
> élève-moi jusqu'à Ton Sein;
> permets-moi de boire
> aux Torrents Jaillissants de la Vie Eternelle
> et ainsi je saurai que
> je jouis de Ta Faveur;
> oh! viens me sauver
> avant que l'Heure vienne sur moi;
> guéris-moi
> car j'ai péché contre Toi;

> Père,
> Tes Lèvres sont humides de Grâce,
> Ton Coeur est une ardente Fournaise d'Amour,
> Tes Yeux sont Deux Flammes d'un Feu consumant;

> ô Père,
> Ta Beauté est la Perfection même,

---

6. C'est-à-dire la Sainte Communion (allusion à Dn 8.11-12).

Ta Majesté et Ta Splendeur
laissent éblouis même les plus lumineux des anges;
Riche en Vertu et en Grâce,
ne me cache pas Ta Sainte Face
lorsque viendra l'Heure;
viens me oindre de l'huile d'amour;
Dieu, entends ma prière,
écoute ma voix suppliante!
Je dois accomplir les voeux que je T'ai faits;

Père Eternel,
quoique le courant s'oppose à moi,
j'ai confiance,
je crois,
je sais
que Ton Bras sera là
pour me tirer et me sortir de ce courant;
oh! comme il me tarde de contempler
Ton Sanctuaire
et de voir Ta Gloire
dans l'Arche de l'Alliance!
oh! comme mon âme languit de contempler
le Cavalier des Cieux
qui porte le Nom :
Fidèle et Véridique,
Celui qui balaiera
l'iniquité du monde,
Celui qui est Juste;
oh! viens me couvrir de Ton Manteau,
puisque Ton Amour est connu pour sa générosité;

ô Père! ne m'écarte pas
comme je le mérite à cause de mes péchés,
mais aide-moi, procure-moi
mon Pain Quotidien
et garde-moi en lieu sûr,
loin des crocs de la Vipère;
fais de moi l'héritière (l'héritier)

de Ta Maison,
fais de moi Ton enfant de Lumière,
fais de moi une parfaite copie
du Suprême Martyr,
pour Te glorifier
pour toujours et à jamais.
Amen.

(Après que j'aie lu à Dieu la prière qu'Il m'a dictée, Il fut très touché et avec de l'émotion dans Sa Voix, Il m'a dit ce qui suit :)

Les cieux t'appartiennent, Mon enfant. Vis pour Moi, respire pour Moi, place-Moi en Premier, aime-Moi, Mon enfant, et tout ce que J'ai est à toi. Par ton amour et ta fidélité, Ma Maison sera aussi ta maison. Compte sur Moi ton Abba. Viens plus près de Moi et prends place dans Mon Sacré-Coeur.

23.09.91

- Tout au long du jour, j'ai soupiré pour Toi mon Yahvé à moi; Ton Amour que Tu m'as montré, je ne peux pas l'oublier, jamais. De ta gentillesse, mon Yahvé, je me souviendrai tant que je vivrai. Je languis d'amour pour Toi mon Yahvé, jour après jour, et je ne veux pas m'associer plus longtemps à ce monde qui Te blesse, et savoir que je suis une des premières à Te blesser... Mon âme veut proclamer au monde toutes Tes merveilles, et mes pieds veulent courir en haut des collines pour crier au monde :

"**ton Créateur est ton Epoux!**
Son Nom : Yahvé Sabaoth;
oui, comme une épouse abandonnée,
dont l'esprit est affligé,
Yahvé te rappelle:
un homme répudie-t-il la femme
de sa jeunesse? dit ton Dieu" (Is 54.6).

- Cependant, j'ai peur, ô mon Yahvé, mon Abba à moi. Mon âme languit et aspire à Ta Maison et tout ce dont j'ai envie désormais, c'est d'être avec Toi; aussi ne me demande pas pourquoi mon esprit est abattu puisque mes soupirs ne sont pas un secret pour Toi, et que tout ce pourquoi je soupire est connu de Toi.

Mon âme t'attend, mon Yahvé,
viens m'envahir,
viens me consumer.

- Vassula... ne te cache pas, Mon enfant [7] **... fille d'Egypte, Je t'ai désignée comme Mon essayeur pour beaucoup de nations et tu M'es très précieuse. Ne Me comprends pas mal : Je n'ai pas besoin de toi, pas plus que tu n'es indispensable à cette oeuvre; mais t'avoir choisie, toi, un néant, Me glorifie et te purifie. Et puis, tout ce que Je possède, Je veux le partager avec toi. N'aie pas peur; lorsque tu proclameras Mes Messages, Mon Saint Esprit t'emplira de Mes Paroles et tu proclameras hardiment Ma Parole.**
Aussi, va maintenant à ceux vers qui Je t'envoie. Je ne t'abandonnerai pas, ni ne te laisserai inhabitée. Mon Saint Esprit est ton Guide et ton Conseiller, Je ne fais que commencer à récolter Ma Moisson... moissonne avec Moi... ce n'est pas toi qui as semé cette Moisson. C'est Moi qui, en toi, ai fait toutes les semailles et maintenant, Je les veux partout. Maintenant que la Récolte est prête, tout ce que Je demande de toi est de la moissonner avec Moi, Ma fille. Offre ton assistance comme un sacrifice. Je ne te demande pas beaucoup...
... que vois-tu, Ma fille?
- La Sainte Face de Ton Fils, ravagée par la souffrance; Son Visage est comme sur le Saint Suaire.
- N'est-ce pas une raison suffisante pour aller de l'avant et pour sacrifier un petit peu de ton temps et de ton énergie? Regarde encore, Ma fille... que vois-tu maintenant, Vassula?

---

7. J'espérais n'avoir plus besoin d'aller dans les nations, d'être présente pour témoigner. J'espérais que mon Père consente à mes désirs : rester chez moi à méditer, à L'aimer, à Le rencontrer par l'écriture; rencontrer Jésus dans la Sainte Eucharistie et éviter les foules.

- Je vois quelque chose comme un doux nuage <u>rouge</u> remplissant le ciel, planant au-dessus de nous et se déplaçant maintenant comme de la brume et emplissant de plus en plus le ciel; il se déplace doucement mais progressivement.

- **Ecris : "comme l'aurore, il se déploie à travers les montagnes une vaste et puissante armée, telle qu'il n'en a jamais été vue auparavant, telle qu'il n'y en aura jamais plus jusqu'aux âges les plus lointains"** (Joël 2.2). **Oui, cela est proche... et maintenant, que vois-tu, Vassula?**

- Des torches humaines vivantes.

- **Regarde attentivement ces âmes, ces âmes que J'ai créées... Celles-ci n'atteindront jamais la Chambre que J'avais préparée pour elles; ces âmes sont sous le pouvoir de Satan et elles ne partageront ni Mon Royaume ni Ma Gloire; elles se dirigent vers leur damnation... Dis-Moi, y a-t-il une âme que J'aie privé de Mon Amour, de Ma Gloire et de Mon Royaume?**

- Non, Seigneur.

- **Mais elles ont choisi de ne pas M'aimer et ont volontairement suivi Satan; elles ont coupé, de leur propre et libre volonté, les liens de notre union. Et maintenant, regarde encore, Vassula; que vois-tu?**

- O Seigneur, une Femme, assise sur un rocher blanc; je La vois de dos; Elle porte une longue robe noire et Sa Tête est aussi couverte d'un long foulard noir; Elle semble en proie à une grande détresse, et Elle est pliée de douleur. Je me vois moi-même L'approcher; Elle lève Son Visage et je commence à pleurer aussi avec Elle; c'est la Mère de Jésus, notre Mère; Son Visage est très pâle et rempli de larmes; lorsqu'Elle me voit, Elle étend Sa main gauche et la presse sur mon bras.

- **Je suis la Femme des Douleurs, familière de la misère; Je suis Celle qui pour vous rétablira :**

l'Espérance;

Je suis Celle qui, de Mon talon, écrasera et piétinera la tête du serpent; Mes Yeux pleurent sans cesse en ces jours sans soulagement; Mes Yeux sont devenus douloureux auprès de tous Mes enfants.

Vassula, Ma fille, ne ferme pas ton oreille à Dieu, ne ferme

pas ton oreille à Ma requête; tu M'as entendue pleurer; J'ai défendu ta cause et Je le ferai toujours. Lorsque le Seigneur t'attache à Lui, c'est par Amour, pour vider Son Coeur dans ton coeur. Aujourd'hui [8] <u>à ton tour, Sa Coupe te sera passée</u>; ne refuse pas de boire; hésitante, tu ne dois pas l'être. Vos rues sont polluées de sang innocent et Nos Coeurs sont malades; c'est la raison de Mes Larmes; c'est la raison pour laquelle le Seigneur partagera Sa Coupe avec toi. <u>La trahison fait obstruction à l'Unité entre frères; le manque de sincérité de coeur augmente la Coupe de Dieu.</u> Ils ont déchiré le Corps de Mon Fils, ils L'ont divisé, ils L'ont mutilé et L'ont paralysé.

Je vous rappelle à tous que c'est par Lui que <u>vous avez tous,</u> dans l'Unique Esprit, votre voie pour parvenir au Père; et pourtant vous restez divisés sous le Nom de Mon Fils. Vous parlez d'Unité et de Paix <u>et cependant vous tendez un filet pour ceux qui les pratiquent.</u> Dieu ne peut pas être trompé, pas plus qu'Il est convaincu par vos arguments.

Le Royaume de Dieu n'est pas de simples paroles sur les lèvres. Le Royaume de Dieu est amour, paix, unité et foi dans les coeurs : c'est l'Eglise du Seigneur, unie en Une Seule à l'intérieur de vos coeurs.

Les clefs de l'Unité sont l'Amour et l'Humilité. Jésus ne vous a jamais poussés à vous diviser; cette division dans Son Eglise n'était pas Son désir.

J'implore Mes enfants de s'unir en coeurs et en voix et de rebâtir l'Eglise primitive de Mon Fils <u>dans leurs coeurs</u>; Je dis l'Eglise primitive de Mon Fils parce que cette Eglise était construite sur l'Amour, la Simplicité, l'Humilité et la Foi.

Je n'entends pas par là que vous reconstruisiez un nouvel édifice; J'entends par là que vous reconstruisiez un édifice à l'intérieur de vos coeurs; J'entends que vous abattiez les vieilles briques qui sont à l'intérieur de vos coeurs, briques de désunion, d'intolérance, d'infidélité, de refus de par-

---

8. C'est-à-dire ces jours prochains.

donner, de manque d'amour, et que vous reconstruisiez l'Eglise de Mon Fils en vous réconciliant. **Vous avez besoin d'une intense pauvreté de l'esprit et d'un débordement de richesse de générosité, et ce n'est que lorsque vous aurez compris qu'il vous faut plier que vous pourrez vous unir. Aussi, Ma Vassula, joins-toi à Moi dans Ma prière, comme lorsque tu M'as vu prier tout à l'heure. Je suis avec toi, Mon enfant, profondément. Conforme-toi aux désirs de l'Amour. Jésus ne t'abandonnera jamais. Dans ton amour, sois unie à Lui dans un seul but :**

Le glorifier.

Maintenant, Ma fille [9], comprends-tu pourquoi tu ne dois pas renoncer à moissonner avec Moi? Continue à prier et bénis ceux qui te persécutent. Ton heure n'est pas encore venue, Ma colombe. Je serai gentil avec toi et tu seras aimée de Moi plus que jamais. N'essaie pas de comprendre ce qui est au-delà de ton pouvoir. Manie la faucille lorsque tu Me vois manier Ma Faucille. Ne traîne pas le pas; suis-Moi en adoptant Mon allure. Si Je ralentis, ralentis aussi. Parle hardiment lorsque Je t'en donne le signal et garde le silence quand Je te regarde. Défends toujours la Vérité jusqu'à la mort. De temps en temps, tu seras critiquée de façon cinglante mais Je le permettrai juste assez pour que ton âme reste pure et docile. Sache que Je suis toujours à ton côté. Moissonne lorsque Je moissonne. Apprends à être patiente comme Je suis Patient. Sois très humble et effacée. Je t'ai confié Mes Intérêts [10] pour oeuvrer avec Moi à Mon côté et J'en ai également désigné d'autres pour joindre leurs services à cette oeuvre.
Vassula, Mon enfant, encore un petit peu, un très petit peu de temps et ton âme s'envolera vers Moi. Aussi, il n'y a aucune raison de te sentir abattue comme tu Me l'as dit. Tu n'as qu'à relever la tête et regarder Qui vient jusqu'à ta chambre, Qui soupe avec toi, Qui est ton Berger. Demande-Moi de te pardonner tes péchés afin que tu

---

9. C'est à nouveau la Voix du Père.
10. J'ai entendu aussi : Mon Ministère.

reçoives Ma Paix et que tu retrouves la joie. Dis à Mes enfants que bientôt, J'enverrai Mon Saint Esprit en pleine force pour vous paître et vous ramener dans le vrai Bercail pour y vivre une

Vraie Vie en Moi votre Dieu.

26.09.91

- Mes yeux sont toujours sur Toi, ô mon Dieu. Le secret de Tes confidences [11] est donné à ceux qui T'aiment et Te craignent.

**Tu as tiré mon âme du gouffre
pour lui faire découvrir
les Richesses de Ton Sacré-Coeur;
j'ai découvert
la Miséricorde dont ont parlé Tes prophètes;
j'ai découvert
l'Amour et la Douceur qu'ont goûté Tes disciples;
j'ai découvert
la Paix que Toi-même Tu nous as donnée.
Dans Ton Sacré-Coeur, Tu as permis à mon âme
de découvrir
que la Souffrance est Divine
et que la Mortification est agréable à Tes Yeux.
Alors en mon âme est venue une brillante Lumière,
et comme un mélodieux bruissement de colombes,
j'ai entendu et senti un Souffle effleurer mon visage
et Tu m'as comblée de Tes Mystères.**

Goûte encore plus de Mes secrets, Mon enfant, en étant obéissante à Ma Loi; baisse encore <u>plus</u> ta voix main-

---

11. C'est-à-dire : l'intimité avec Dieu.

tenant afin que tu entendes seulement la Mienne. Baisse ta tête afin que la Mienne puisse être vue. Abaisse-toi toi-même afin que Je puisse t'élever à Moi. Maintes fois, de ta propre lumière, tu inspectes les Secrets de Mon Sacré-Coeur. Tu n'as qu'à Me demander, Mon enfant, et Je déverserai dans tes yeux Ma Lumière Transcendante et Elle remplira ton âme tout entière. Alors, Mon enfant, veille à ce que la lumière à l'intérieur de toi vienne bien de Moi. Alors, alors seulement, Mon prêtre, comprendras-tu que Mes Oeuvres sont Sublimes, Glorieuses et Majestueuses. Alors seulement, Mon élève, comprendras-tu que Je désire de toi que tu comprennes pourquoi l'Humilité s'est permise d'être déshonorée, défigurée, méprisée et transpercée et a donné Sa Vie en rançon pour une multitude. Je suis venu remuer votre amour et l'éveiller, tu vois? Aussi, ne protège ta chair ni de la douleur ni de quelque mortification que ce soit. Permets au Sceau de ton Sauveur de s'imprimer sur ta chair ainsi que sur ton âme afin qu'une complète transformation soit opérée en toi. Alors, TOUT ce que ta nature rejette, récuse et regarde avec dédain te paraîtra Divin.
- Accorde-nous, Seigneur, que tout ce que Tu dis soit fait. Abaisse ma tête, abaisse-moi et abaisse ma voix. Je ne veux pas paraître les mains vides en Ta Présence. Non, je ne veux pas me retrouver en Ta Présence les mains vides. Et ces pensées humaines que ma nature trouve naturelles, déracine-les et brûle chacune d'entre elles.
- Dévoue entièrement ton âme à Moi et reflète Ma Loi avant qu'Elle descende sur toi. N'oublie pas combien ta nature t'a réduite à un désert et à la désolation. Si tu Me le permets, Je te délivrerai de tes pensées humaines et Je les remplacerai par Mes Pensées, pour Me glorifier. Je te donnerai un coeur courageux, Ma petite, pour être capable de faire face à Mes opposants et pour résister à leurs contradictions. Je te donnerai une éloquence dans le discours, une endurance et une résistance aux menaces de tes persécuteurs qui sont aussi Mes persécuteurs. Je te donnerai le courage de supporter avec confiance. Tu es Ma semence et parce que la Moisson est prête, et que la récolte est prête à être fauchée, Je ne perds pas de temps, comme tu l'as remarqué. Je moissonne sans cesse pour en

nourrir beaucoup qui sont sur le point de mourir. Alors, Ma bien-aimée, toi aussi "mets en oeuvre ta faucille et moissonne : le temps de la moisson est arrivé et la moisson de la terre est mûre" (Ap 14.13). Permets-Moi d'élargir l'espace de ton coeur, car maintenant, ton Ravisseur va te combler de Sa Connaissance et de Ses Confidences.

Je n'attends que de vous être gracieux à tous et de révéler à chacun d'entre vous Mes Richesses, Ma Générosité et Mon Amour. Je vous dis tout cela aujourd'hui afin que Ma Parole aille de cette génération à la suivante.

Et vous qui apprenez, à votre tour, vous enseignerez à vos propres enfants. S'ils écoutent et font ce que Je dis, leurs jours s'achèveront dans le bonheur. Aussi, tournez-vous vers Moi et louez Mes Oeuvres; méditez Mes Merveilles.

ΙΧΘΥΣ

29.09.91

Fête des Saints Archanges Michel, Gabriel et Raphaël.

(Saint Michel) : Je t'aime, enfant de Dieu. Compte sur Moi. (Le Seigneur) : Repose-toi dans Mon Coeur; Moi le Seigneur Je te bénis. Viens, Mon Coeur est ton nid.

30.09.91

- Je rends grâce à Ton Nom pour Ton Amour et Ta Miséricorde. Bien que je vive en un endroit où je suis entourée de persécuteurs, de faux témoins et d'insultes, Tu me tiens en vie, Tu me tiens debout. Tu remplis ma table et comme la plus tendre mère, Tu me nourris de Ta propre Main. O Seigneur, prends pitié de moi : souvent j'ai des ennuis plus que je n'en peux supporter et si je ne T'avais pas près de moi, je serai anéantie! Je désire la paix complète entre frères.
- **Je dis : la paix soit avec toi!** Lève-toi et appelle Mon

serviteur! [12] "Je suis le Seigneur de la Paix et non de la dissension, et Je t'ai offert Mon Coeur. Que personne ne soit trompé. Ceux qui persistent trop longtemps dans des rancunes, Je leur retirerai Mon Coeur et toutes les Faveurs que Je leur avais offertes si généreusement. A moins que Mon serviteur collabore avec amour et cesse de couver ce péché, Je te dis que Je retirerai toutes Mes Faveurs. Ne modèle jamais ta conduite sur celui qui divise.
Je te donne un Trésor d'Unité, plus fragile que jamais, apprends à protéger ce Trésor".

$$\alpha \maltese \omega$$

(Plus tard.)

- Jésus?
- Je Suis, Ma petite; saturée par Moi, tu ne Me feras pas défaut. A ton côté, Je Suis et serai toujours. Bénis-Moi pour ceux qui ne le font jamais. Révèle-Moi sans peur, sans doute, et l'enfer ne prévaudra pas. Caresse-Moi, oui, regarde Mon Visage et dis :

"Jésus, je T'aime;
Tu es ma Vie,
mon Sourire, mon Espérance,
ma Joie, mon Tout.
Sois béni".

Viens, repose-toi dans Mon Coeur et permets-Moi de Me reposer dans le tien.

1.10.91

(Aux pèlerins canadiens, 140 laïcs accompagnés de 9 prêtres, venus à Lens, Suisse, passer une semaine avec moi.)

---

12. Message pour une âme.

- **Dis-leur qu'aujourd'hui comme hier et toujours, Je les bénis. Que chaque oreille s'ouvre et entende; que chaque coeur s'ouvre pour recevoir Ma Parole : tout ce que Je demande d'eux est l'amour, la fidélité et une prière continuelle. Je serai bientôt avec vous. Venez.**

(Le soir.)

- Mon Seigneur, Tu es venu et Tu as ravivé mon âme et depuis lors une nouvelle vie coule en moi parce que ce torrent jaillit de Ton Propre Sanctuaire. Vois-tu Ton enfant, Seigneur? A nouveau en vie! Tu m'as rachetée, Tu m'as relevée et Tu m'as montré les profondeurs de Ton Amour. Ton parfum m'a fascinée et Ta Beauté m'a laissée à jamais éblouie et pendue à Toi. Ta Tendresse et Ta Bienveillance ont fait surgir une source en moi. Béni soit Ton Nom pour toujours et à jamais!
En Toi, chaque race sera bénie et un jour, à la fin, toutes les nations, unies en une seule, crieront :

> **"Béni soit celui qui vient au Nom du Seigneur"**
> **car comme la pluie permet à la terre de germer,**
> **ainsi la rivière [13] de Ton Sanctuaire irriguera Tes**
> **cités [14].**

2.10.91

(Aux pèlerins canadiens.)

- **La paix soit avec vous. Que ce jour soit un jour de joie! Bientôt, Mon Salut viendra; aussi soyez préparés à Me recevoir. A côté de vous qui vous êtes déjà rassemblés sous Mon Nom, il y en a d'autres que Je vais rassembler. Demande à Mes enfants de méditer :**

> **"Car Ton Créateur est Ton Epoux,**
> **Yahvé Sabaoth est Son Nom" (Is 54.5).**

Qu'aujourd'hui, chacun M'appelle :

---

13. Le Saint Esprit.
14. Nos âmes.

Epoux.

Priez pour la paix du monde, priez pour Nos intentions.

ΙΧΘΥΣ

3.10.91

(Durant la messe avec les pèlerins canadiens, Jésus m'a dit en locution : "Je t'ai envoyé Mes amis".)

4.10.91

(Pour les pèlerins canadiens.)

- Appuyez-vous sur Moi. Donnez-Moi tous vos soucis. Enfouissez-les tous dans Mon Coeur et Je les annihilerai. Bénissez-Moi comme Je vous bénis. Aimez-Moi comme Je vous aime.
<u>Création!</u> Réalisez que tout ce que Je demande de vous est un retour d'amour. Je vous confère des bénédictions éternelles! Aussi, aujourd'hui et chaque jour, placez en Moi votre confiance. Puisez des Puits de Mon Coeur et Je vous comblerai, vous revêtant de Ma splendeur. Je connais vos épreuves et votre extrême pauvreté. Aussi, ne soyez pas effrayés de venir à Moi tels que vous êtes.

La pauvreté Me fascine.

Accueillez-Moi comme Je vous accueille. Allez en paix et soyez les témoins de Celui Qui vous aime plus que nul autre; soyez les témoins de Celui Qui vous a offert Son Sacré-Coeur.

ΙΧΘΥΣ

5.10.91

(Aux pèlerins canadiens.)

**- La paix soit avec vous. Restaurez Ma Maison.
Je vous envoie comme des agneaux parmi les loups mais
n'ayez pas peur : Je Suis est avec vous. Embellissez Ma
Maison par votre dévotion à Mon Sacré-Coeur et au Coeur
Immaculé de votre Mère.
Je vous bénis tous, laissant le Soupir de Mon Amour sur
vos fronts.**

ΙΧΘΥΣ

- CAHIER 55 -

7.10.91

- Tout ce que j'ai, je veux le consacrer à Ta Gloire. Je n'ai pas beaucoup, en fait je n'ai presque rien parce que je suis insuffisante, pauvre, faible et la plus misérable, cependant, quoi que je puisse avoir, prends-le, mon Seigneur.

- **Mon intimité avec toi a allumé un feu en toi et t'a sauvée, ainsi que d'autres. Je veux ta libre volonté. Offre-toi à Moi et de toi Je ferai couler des fleuves. J'ai besoin d'une intense pauvreté pour faire émerger Mes Oeuvres en surface. J'alimenterai ton âme, puisque tu es Mon épouse. Vassula, vos cités sont pleines de morts et leur puanteur s'élève jusqu'au ciel. Ils se décomposent par millions. Prie, prie pour la paix, pour l'amour, pour la foi et pour l'unité.**

Le Très-Saint est tourmenté par ce qui doit venir, attristé au-delà de toute description. Il Me faudra laisser Ma Main tomber sur cette génération mauvaise. Ma fille, par amour pour Moi, prends Ma Croix d'Unité et porte-La à travers le monde. Va de pays en pays et dis à ceux qui parlent d'unité sans jamais toutefois cesser de penser le contraire et de continuer à vivre le contraire, que <u>leur division a séparé Mon Coeur des leurs.</u>

Crie et finalement Ma Voix percera leur surdité. Je suis avec toi dans cette désolation, aussi, n'aie pas peur. Je t'ai confié Ma Croix; cette Croix te sanctifiera et te sauvera, aussi, porte-La avec amour et humilité. Invoque sans cesse Mon Nom. Ta Mission, Mon enfant, est de témoigner pour l'Amour et de manifester Ma Sainteté, dans leur manque d'amour et de fidélité. Va de l'avant sans crainte et sois Mon Echo. Témoigne avec joie, avec ferveur; témoigne avec amour pour l'Amour. Si jamais Mes ennemis te transpercent, <u>réjouis-toi!</u> et offre-Moi toutes tes plaies et Je t'apaiserai immédiatement. Chaque fois que tu lèveras les yeux en Me recherchant, Mon Coeur, riche en Miséricorde, ne te résistera pas. Tu es Mon enfant que J'ai adoptée, élevée et nourrie, aussi n'aie pas peur des

hommes : ils ne peuvent pas te détruire. Bientôt, Je te rendrai libre. Entre-temps, va ton chemin avec Ma Croix d'Unité et glorifie-Moi. Sois le

<u>défenseur</u>

de la Vérité et de l'Unique Eglise que Moi-même J'avais établie. Va en chaque nation et présente-toi à elles. Dis-leur que Je veux la Paix et Une Seule Eglise sous Mon Saint Nom. Dis-leur que celui qui maintient qu'il est juste et cependant reste séparé mangera le fruit qu'il a semé et périra. Dis-leur aussi combien J'abhorre les coeurs non sincères; leurs solennités et leurs discours Me lassent. Dis-leur combien Je Me détourne de leur grandeur et de leur rigidité. En effet, leur jugement apparaît grand et impressionnant aux hommes, mais pas à Moi. Je ne peux pas féliciter une église mourante, approchant de la putréfaction. Dis à ceux qui veulent entendre que :

<u>à moins qu'ils abaissent leurs voix,
ils n'entendront jamais la Mienne.</u>

S'ils abaissent leurs voix, alors ils commenceront à entendre la Mienne et ainsi ils feront Ma Volonté. Je suis Unique, cependant chacun d'entre eux a fait un Christ qui lui est propre.
Je suis la Tête de Mon Corps, toutefois tout ce que Je vois, ce sont <u>leurs</u> têtes, non la Mienne. Dis-leur d'abaisser leurs têtes <u>et ils verront la Mienne</u>. Dis-leur de s'abaisser eux-mêmes afin que Je puisse les élever à Moi.
Ne les laisse pas te terrifier, Mon enfant; sois patiente comme Je suis patient. Sois prudente en restant à Mon Côté. Tu porteras Mes Joyaux [1] afin que tu Me restes fidèle; Ils te feront te souvenir de Moi.
Prie, Mon épouse, prie ton Epoux et à la fin Je te récompenserai. Glorifie-Moi et Je te le dis : les peines, les sacrifices, rien ne sera en vain. Dis à chacun que J'établirai Mon Royaume au milieu de la

<u>pauvreté.</u>

---

1. Sa Croix, Ses Clous, Sa Couronne d'épines...

Ceux-là même qui ont le temps d'écouter Mon Esprit, de M'adorer et de faire Ma Volonté, en ceux-là Mon Ame se réjouit! Ma fille, Je t'aime en dépit de ta misère. Permets-Moi de continuer Mes Oeuvres en toi. Ajuste-toi à moi comme Je M'ajuste à toi et à travers toi Ma Présence sera ressentie, et en toi J'attirerai cette génération à l'unité. Aie confiance parce que Je suis avec toi. Mon Sceau est sur ton front et par ce Sceau et par Ma Grâce, Mon Royaume sur terre sera établi comme Je le veux. Aie Ma Paix.
Rappelle-toi : Je suis avec toi tout le temps. Viens, pénètre dans Mes Plaies.

ΙΧΘΥΣ

13.10.91

- Mon Seigneur, dans mon coeur, il n'y a nul autre que Toi. Petit à petit, Tu me corriges. Tu as gagné mon coeur en faisant pleuvoir sur moi bénédiction sur bénédiction, Mais fais-je maintenant Ta Volonté? Suis-je près de Toi à Te suivre? Vais-je au secours de mon prochain autant que je le peux? Est-ce que je suis Tes Commandements? Est-ce que je jouis toujours de Ta faveur?
- **Apprends à t'appuyer sur Moi. Ma fille, es-tu désireuse de continuer à porter la Croix que Je t'ai prédestinée?**
- Je le désire, pourvu que je ne Te perde pas et que je sois avec Toi unis et un.
- **Sais-tu ce que cela signifie et ce que cela exige?**
- Sacrifice, abaissement, humilité, effacement, <u>amour</u>, <u>foi</u>, <u>espérance</u>, docilité, abnégation, prière, prière, prière, patience, pénitence, mortification, souffrance, jeûne et confiance en Toi? et un esprit de pardon.
- **Tu as bien dit mais ce n'est pas tout de savoir ces choses. Tu veux rester en Ma faveur? Alors, tu dois mettre en pratique tout ce que tu as mentionné. Le Royaume des Cieux est comme un trophée. Celui qui Le gagnera Le chérira. Ou encore, le Royaume des Cieux sera donné à ceux qui viennent les mains pleines de bon fruit.**

Et, ainsi, Ma Vassula, J'entends rebâtir Mon Eglise sur les vertus que tu as mentionnées. Si tu marches avec Moi, tu ne seras pas perdue. Ne sois pas tentée de regarder à ta gauche ou à ta droite. Comme Je l'ai dit à Mes disciples, ne salue personne sur la route (Lc 10.4). Tu veux Me servir comme tu le dis? alors tu dois Me suivre avec ta Croix de Paix, d'Amour et d'Unité pour Me glorifier. Ne regarde pas avec consternation les autres croix que Je dispose sur ton chemin, puisque toutes viennent de Moi. Glorifie-Moi. Ta table est toujours pleine et ta coupe déborde, aussi, ne te plains de rien. Je dois de temps en temps te sonder et éprouver ton amour pour Moi pour t'édifier spirituellement. Ne traîne pas les pieds derrière Moi, suis allègrement Mon pas. Repose-toi en Moi lorsque tu es lasse et permets-Moi de Me reposer en toi quand Je suis fatigué.

Ecoute maintenant ton Très-Saint : ne sois pas emportée par chaque vent qui souffle sur ton chemin. Sois enracinée en Moi et tu ne seras pas déracinée, Ma fille. Enrichis Mon Eglise de toute la Connaissance que Je t'ai donnée et dis-leur que le Coeur du Seigneur est un Abîme d'Amour, quoique nul homme ne soit pleinement conscient de Ses profondeurs ni de Ses richesses.

Je te sais fragile, Ma fille, cependant as-tu manqué de ressources? Compte sur Moi, compte sur Moi et sois le reflet de ce à quoi ressemblera l'Unité. Ne sois pas comme ceux qui persistent à se différencier sous Mon Saint Nom. Ne sois pas comme ceux qui prétendent que l'Unité leur est attirante et restent morts à leur parole, n'arrivant à rien sinon au ressentiment du Père. Le Père et Moi, tous deux, abhorrons leurs arguments, contraires à ce qu'ils pensent.

Pourtant, rien ne M'empêcherait de crier à ces hommes de pouvoir :

"Descendez! descendez de vos trônes et puissent ces écailles de vos yeux tomber pour que vous voyiez quelle désolation vous avez fait de Ma Maison! Vous avez pillé Mon Sanctuaire et tout ce qu'Il contenait. Vous avez brisé la houlette du Berger non seulement en deux mais en éclats. Mais aujourd'hui, ouvrez les yeux et voyez! Gardez les yeux ouverts et vous reconnaîtrez la pauvreté, les vêtements de sacs et les pieds nus; gardez les yeux ouverts et d'un regard, vous reconnaîtrez Mon Coeur" [2]. Je pourrais dire seulement une parole dans leurs assemblées et par cette seule parole unir Mon Eglise. <u>Mais la gloire du Ciel Me sera donnée par la Pauvreté, la Misère et par ceux qu'ils estiment méprisables.</u> Je rebâtirai Ma Maison par des étrangers, car en eux Je mettrai un esprit de zèle, un esprit de fidélité. Alors, vos réserves seront à nouveau remplies et vos cuves déborderont de Mon vin nouveau. Si vous dites que vous M'aimez et prétendez être sous Mon Nom, alors, pour l'amour de Mon Saint Nom et pour l'amour de Mon Amour,

<u>unifiez Mes églises.</u>

Le vrai chrétien est celui qui est chrétien <u>intérieurement</u> et la vraie Unité est et sera <u>dans les coeurs</u>. L'Unité ne sera pas de la lettre mais de l'esprit.
Si tu M'aimes, Ma fille, comme tu le dis, embrasse la Croix que Je t'ai donnée. Alors, tes pieds ne trébucheront pas. Rien ne L'égale en ce monde. Que ton regard ne quitte jamais Mon Regard. Mon élève? viens, suis-Moi...

ΙΧΘΥΣ

13.10.91

- Vassula, J'ai prié le Père pour toi. C'est Moi Jésus. Concentre-toi sur ce qui t'a été assigné. Ecris maintenant : [3]

La paix soit avec vous.
Je vous ai entendu M'appeler "Père!".

<u>Je Suis là.</u>

---

2. La pauvreté, les vêtements de sac et les pieds nus symbolisent le Coeur de Jésus.
3. Message pour les prisonniers de la "Strangeways Prison", Angleterre.

Voulez-vous revenir? Je ne vous désapprouverai plus puisque Je suis Infinie Miséricorde. Je ne prononcerai pas non plus de sentence contre vous. <u>Votre coeur est ce que Je recherche.</u> J'ai besoin d'amour, J'ai soif d'amour. Mes Lèvres sont desséchées par manque d'amour. J'ai décidé de ne plus regarder votre passé mais seulement le présent. La Reine du Ciel[4] est à Mon côté et de toutes les femmes, Elle est Celle Qui, avec persistance, a prié pour vous, plus que toutes les Principautés, Dominations, Trônes, Puissances et Anges, plus que toute chose créée. Aussi, accueillez-La dans vos prières, honorez-La comme Je L'honore. Vous êtes tous baptisés en Moi et il ne devrait y avoir aucune distinction entre frères.

Si seulement vous saviez ce que Je vous offre aujourd'hui, vous n'hésiteriez pas à M'offrir votre coeur et votre abandon. Revenez à Moi et n'ayez pas peur; Celui qui vous parle maintenant est votre Saint Compagnon, Celui qui vous aime le plus. Croyez en Mon Amour, considérez et méditez <u>Ma Passion</u>. Offrez-Moi votre coeur et Je le transformerai en un jardin avec les odeurs les plus subtiles, où Moi votre Roi Je pourrai prendre Mon repos; permettez-Moi d'en faire Ma Propriété et vous vivrez. Ne détournez pas votre coeur de Moi; ne Me tenez pas à distance. Parlez-Moi librement : <u>Moi</u> J'écoute. Je vous invite tous à méditer ces paroles :

<u>Rachetez le mal par l'amour,</u>
<u>imitez-Moi</u>

et rappelez-vous : Je suis avec vous tout le temps. Jamais, n'oubliez jamais cela.
Je bénis chacun de vous, laissant le Soupir de Mon Amour sur vos fronts.

ΙΧΘΥΣ >⦿

Jésus Christ, Fils Bien-Aimé de Dieu et Sauveur

---

4. Notre Dame.

14.10.91

- Seigneur?
- **Je suis. Evangélise avec amour pour l'Amour. Sois enracinée en Moi, Mon enfant. Remets-Moi tout et permets-Moi d'être ton Directeur Spirituel, te dirigeant et te donnant Mes directives pour l'unification de Mes Eglises. Tu dois être un signe pour eux et ils apprendront que puisque Je Suis est Un, vous aussi vous serez un comme Nous sommes Un. Les Ecritures seront accomplies parce que Ma Prière Sacerdotale au Père sera accomplie. Je suis en toi, aussi n'aie pas peur.**
- Cela est très prometteur, Seigneur!
- **Ta mission, petite, est d'amener Mon peuple sous un seul Nom, Mon Nom, et à rompre le pain ensemble. Tu n'as pas à t'inquiéter : fais de ton mieux et Je ferai le reste. J'ai besoin d'humilité pour accomplir Mes Oeuvres en toi et pour tout amener ainsi à la surface.**
Ta génération impie, qui de Moi a fait couler tant de Sang, va te rabrouer, mais, Ma Vassula, Je te maintiendrai sur pieds en dépit des blessures impressionnantes que tu recevras de cette génération mauvaise. L'aide te sera donnée d'en-haut. Je t'ai prêché ainsi qu'à d'autres. Ne t'arrête pas là, transmets aussi bien en public que dans les foyers les Enseignements que Je t'ai donnés. Je sais combien tu es fragile mais Je sais aussi ce que J'ai choisi.
- Seigneur, je suis contente de savoir que nous allons être unis, quoique nul ne sache encore réellement comment. Les problèmes sont apparemment grands et le schisme plus grand encore. Comme Tu l'as dit : "la houlette de Berger a été brisée non seulement en deux, mais en éclats". Et Ton Corps a été mutilé, déchiré et paralysé. Tu nous demandes à tous de <u>plier</u>. Mais comment? Que doit-on faire? Quel est le premier pas? Je suis orthodoxe grecque et je partage tout avec mes frères catholiques romains, et je ne me différencie pas sous Ton Nom lorsque je suis avec eux; et ils ne me traitent pas différemment qu'une des leurs. Je sais aussi que nombre d'entre eux fréquentent les églises orthodoxes grecques ou russes...
- **Dis-le, Mon enfant!**
- Donne-moi les termes exacts, Seigneur.
- **Dis : ...et il ne leur est pas permis de partager Ton Corps.**

- Non, cela ne leur est pas permis par les orthodoxes, bien que nos sacrements soient les mêmes. Et cependant, nous, orthodoxes, sommes autorisés par les catholiques à partager Ton Corps. Il m'a même été dit que j'étais excommuniée - pour n'en pas dire plus - parce que je fréquente les catholiques. En outre, je suis persécutée des deux côtés parce que mon confesseur est catholique romain! Et Tu es témoin de tout cela, mon Seigneur Jésus!

- Pourtant, le jour viendra où ils rompront le pain ensemble sur un seul autel. Et nul n'empêchera Mes enfants de venir à Moi. Nul ne leur demandera : "es-tu orthodoxe?" [5]. **Cette forteresse qu'ils ont bâtie pour vous diviser est déjà condamnée par Moi. Vous êtes tous frères en Moi; c'est ce que tu dois leur enseigner de croire et les persuader de faire. Comme pour ceux qui restent divisés en corps et en esprit en se différenciant sous Mon Saint Nom, Je leur dis comme J'ai dit à l'église de Sardes (Ap 3.1-2) : "Tu as le renom d'être en vie aux yeux du monde mais non aux Yeux de ton Créateur. Ranime le peu qui te reste : il est en train de mourir rapidement" et là où est le cadavre, là les vautours se rassemblent. Unissez-vous! rassemblez-vous! invoquez Mon Nom ensemble! consacrez ensemble Mon Corps et Mon Sang! ne persécutez pas le Chemin! humiliez-vous et pliez pour être capables de vous unir et de Me glorifier. Vous parlez de l'Esprit mais vous n'agissez pas dans l'Esprit. Vous parlez du Chemin mais vous rivalisez pour L'obstruer! Comme vous Me connaissez peu... Vous invoquez Mon Nom, cependant vous tuez Mes enfants entre le sanctuaire et l'autel. Je vous dis solennellement : tout cela vous sera rappelé au Jour du Jugement. Pouvez-vous, face à Moi, Me dire en vérité : "Je suis réconcilié avec Mes frères". Pouvez-vous dire en vérité : "Je ne me suis pas différencié de mes frères sous Ton Saint Nom; je les ai traités comme mes égaux". Lorsque vous présenterez votre cas devant Moi, alors Je vous dirai**

---

5. Apparemment, les prêtres orthodoxes ont le droit de demander aux personnes qui veulent recevoir la Sainte Communion si elles sont orthodoxes; ils refusent la Sainte Communion aux catholiques romains, bien que ce sacrement soit le même dans les deux obédiences.

à la face : "allez-vous-en! vous n'avez pas traité vos frères comme vos égaux; vous avez journellement massacré Mon Corps; où est votre triomphe? Alors que Je bâtissais, vous démolissiez; <u>alors que Je rassemblais, vous dispersiez;</u> alors que J'unissais, vous divisiez!"
Cependant, même aujourd'hui, si vous venez à Moi tels que vous êtes, Je peux vous guérir, Je peux vous transfigurer et vous Me glorifierez.
"Malheur à celles qui porteront un enfant ou qui auront un bébé au sein, lorsque Mon Jour viendra!" (Lc 21.23).
Ecris [6] : Malheur à ceux que Je trouverai avec le péché lové en eux comme on porte un enfant, ou avec des adeptes formés par eux et du même genre qu'eux. Mais il a été dit que "de vos propres rangs surgiront des hommes se présentant avec un simulacre de vérité sur les lèvres pour inciter les disciples à les suivres" (Ac 20.30).
Je crie et J'essaie de percer votre surdité pour vous sauver, et si Je vous réprimande, c'est à cause de

**L'Immensité de l'Amour
que J'ai pour vous.**

Mais Je vous dis en vérité : un jour, J'assemblerai <u>toutes</u> les parties séparées de Mon Corps, ensemble en une Unique assemblée.
Ne pleure pas, Mon ami [7], toi qui M'aimes; endure ce que J'endure; toutefois, console-Moi et aie foi en Moi. Tu accompliras de grandes oeuvres en Mon Nom. Sois tolérant comme Je suis tolérant.
J'avais eu faim, soif, J'étais souvent affamé et tu es venu à Mon aide. Continue tes bonnes oeuvres et Je te le revaudrai. Je te dis en vérité, tu n'es pas seul: Je suis avec toi.
Soyez unis en Moi et vivez en paix. Vous êtes la postérité de Mon Sang et les héritiers de Mon Royaume.
Dis-leur que le Coeur du Seigneur est Amour et que le

---

6. Jésus nous explique le verset qui précède.
7. Jésus s'adresse à ceux qui L'aiment vraiment et qui oeuvrent vraiment et sincèrement pour unir les Eglises; Ses amis.

Coeur de la Loi est basé sur l'Amour. Dis à Mon peuple que Je ne veux pas d'administrateurs dans Ma Maison; ils ne seront pas justifiés en Mon Jour, parce que ce sont ceux-là même qui ont industrialisé Ma Maison. Je vous ai envoyé Mon Esprit vivre dans vos coeurs; c'est pourquoi l'Esprit qui vit en vous vous montrera que Mon Eglise sera reconstruite à l'intérieur de vos coeurs et vous vous reconnaîtrez les uns les autres dans vos coeurs comme vos frères.

Devrai-Je, frère,
supporter une saison de plus
la douleur que J'ai connue année après année?
ou vas-tu, cette fois, Me donner du repos?
Devrai-Je, une saison de plus,
boire la Coupe de votre division?
ou vas-tu permettre à Mon Corps
de se reposer en unifiant, par amour pour Moi,
la Fête de Pâques? [8]

En unifiant la date de Pâques, tu adouciras Ma douleur, frère, et tu te réjouiras en Moi et Moi en toi et Je rendrai la vue à une multitude.
"Mon Bien-aimé! Mon Créateur! Celui Qui est mon Epoux nous a révélé des choses que nulle main humaine n'aurait pu accomplir!" Voilà ce que vous clamerez en Mon Nom une fois que votre vue vous sera rendue.

- Et Je viendrai à vous [9] -

Je vous dis solennellement : assemblez-vous, rassemblez-vous tous et écoutez cette fois votre Berger : Je vous guiderai dans le chemin que vous devez prendre. Envoyez Mon Message jusqu'aux extrémités de la terre.

---

8. Mon Jésus, en disant tout cela a pris la voix d'une victime, épuisé, implorant, comme s'Il dépendait de nous, comme un prisonnier allant à la porte de sa cellule et demandant au garde par la petite ouverture combien de temps encore durera sa sentence jusqu'au jour de sa libération.
9. Jésus a dit cela comme un Roi, majestueusement.

Courage, Ma fille; souris lorsque Je souris. Je suis avec toi pour guider tes pas au Ciel.

IXΘΥΣ

17.10.91

(Message donné aux "moissonneurs" que Dieu a choisis aux Etats-Unis pour la publication de ce livre :)

- Je vous donne à tous Ma Paix et Je vous bénis. Je suis avec vous pour vous soutenir dans votre travail en Mon Nom, travail que J'ai béni car c'est le travail qui vous est assigné à tous pour Me glorifier.

**En temps de famine,
Je suis venu**

remplir vos bouches de Ma Manne Céleste afin que vous ne périssiez point. Je ne vous quitterai jamais. L'Amour reviendra comme Amour.

IXΘΥΣ

(Et notre Mère Bénie leur donne aussi un message :)

- Ecclesia revivra. Gloire à Dieu. Je suis la Reine du Ciel, votre Mère et Je vous bénis. Priez pour la paix, priez pour la foi, l'amour et l'unité. Priez pour la conversion de tous Mes enfants. Je veux que chacun soit sauvé. <u>Les Oeuvres de Lumière de Dieu ne peuvent pas être cachées éternellement</u>[10]. C'est pourquoi Je vous ai choisis

_____

10. Allusion aux nombreux obstacles que Satan a disposés pour empêcher la diffusion des messages du Sacré-Coeur.

pour être les moissonneurs de Dieu. Je vous aime tous d'un grand amour et Je vous remercie de M'avoir dédié les Livres du Seigneur [11]. Ayez la foi, Mes petits, le Seigneur est avec vous. Suivez-Le. Ayez confiance car Je suis avec vous. Venez.

20.10.91

(Message du Sacré-Coeur à la Belgique, lu à Bruxelles en la salle Saint-Michel du Collège des jésuites, le 20 octobre 1991 :)

- Mon Seigneur, sois avec moi.
- **Aie confiance parce que Je Suis est avec toi.**
Ma Vassula, dis-leur ceci: Si beaucoup ont oublié Mon Sacré-Coeur, Moi, Je ne les ai jamais oubliés.
Je les ai appelés, les assemblant ici aujourd'hui pour prier ensemble. Je désire que Mes enfants s'unissent. Je désire que Mon Eglise tout entière soit unie. Ceux qui persistent à rester séparés ont déjà séparé Mon Coeur des leurs.
Réalisez la gravité de votre division, l'urgence de Mon Appel et l'importance de Ma requête. J'ai besoin de vos coeurs pour vous unir et pour rebâtir Mon Eglise unie en une seule à l'intérieur de vos coeurs. Tout ce que Je demande est l'amour, pour briser les barrières de votre division.
Priez, vous qui M'avez offert vos coeurs et unissez votre coeur à Mon Sacré-Coeur pour l'unité de Mes Eglises.
Moi le Seigneur Je bénis chacun de vous, laissant le Soupir de Mon Amour sur vos fronts.

Moi, Jésus, Je vous aime.

ΙΧΘΥΣ

21.10.91

- Ta Miséricorde, ô Seigneur, a soufflé en moi et y a insufflé un Esprit vivant, au plus profond de là où Il demeure. Ce fut Ta Parole, Seigneur, qui guérit toutes choses, qui m'a

---

11. Le groupe qui a publié les livres en anglais a dédié un des tomes à notre Mère Bénie.

guérie. Et le Dieu invisible m'est soudain devenu visible. Et l'obscurcissement de mes yeux a vu une Lumière, une colonne de Feu Eblouissant pour guider mes pas jusqu'au Ciel. Et l'Obscurité qui m'emprisonnait et terrifiait mon âme a été vaincue par l'Etoile du Matin, qui a donné à mon âme Espérance, Amour et Paix et une grande consolation parce que je savais que l'Amour-et-Compassion Lui-Même était mon Saint Compagnon durant *le périple de ma vie.*
- **Mon enfant, l'Amour est avec toi et nulle puissance d'en-bas ne peut te séparer de Moi ni ne le pourra jamais. Marche dans Ma Lumière et reste unie à Moi.**

22.10.91

- Jésus, revêts-moi d'humilité, de pureté et d'observance de Ta Loi, car cela plaira au Père.
- **La paix soit avec toi, pour cela Je te dis :**

sois comme le publicain

car beaucoup d'entre vous condamnez votre prochain, oubliant comment, hier encore, vous aussi étiez enfermés dans le même sommeil. Ne dites pas : "J'ai rangé ma maison et je l'ai préparée pour le Seigneur; Il peut maintenant venir à moi n'importe quand, je suis prêt(e) à Le recevoir; je ne suis pas comme mon voisin qui ne jeûne pas, ne prie pas mais poursuit une mauvaise vie".
Je vous dis : recevez la vue; vos lèvres vous ont déjà condamnés. Guérissez-vous d'abord et ne condamnez pas les autres qui ne savent pas distinguer leur main droite de leur main gauche.
Venez à Moi, comme le publicain, Me demander d'être miséricordieux pour vous, pécheurs [12], car tous, vous êtes sujets au péché.
Temple! lève-toi et sers-Moi, ton Dieu; en servant la veuve [13], tu Me serviras Moi. Va maintenant en Paix; Je suis avec toi.

---

12. Allusion à la prière du chapelet orthodoxe : "Seigneur Jésus Christ, Fils de Dieu, aie pitié de moi, le pécheur" (message du 18.01.90, cahier 40).
13. Allusion à ma maman que je dois rejoindre maintenant pour l'aider à faire ses achats dans les magasins. Intentionnellement, Dieu ne l'appelle pas "mère" parce que notre vraie Mère est la Vierge Marie.

- Gloire à Dieu.

24.10.91

- Seigneur, permets-moi de Te servir. C'est maintenant mon dû envers Toi. Tu es connu pour Ta Miséricorde et je sais que si je m'accroche à Toi, Tu ne me rejetteras pas. Je sais que Tu me sauveras.
"Je n'ai qu'à ouvrir la bouche pour que Tu la remplisses" (Ps 81.11). S'il-Te-plaît, comble-moi de Ta Manne [14].
- **Reste en Ma faveur. Je ne suis pas un Dieu que l'on ne peut émouvoir. Mon Coeur est plein de Compassion et Je Me laisse toucher. Viens. Je suis ton Bouclier en ces temps de bataille.**
- Seigneur, je suis violemment attaquée par Satan. Comment Ton peuple peut-il entendre Tes merveilles alors qu'il est dans l'obscurité! Le démon veut paralyser tout Ton Plan! Combien de temps encore Ta Droiture sera-t-elle gisante dans le pays de l'oubli? Montre maintenant, Seigneur de Miséricorde et de Justice, que Tu es notre secours et notre consolation.
- **Tu n'as rien à craindre : à la fin, Nos Coeurs prévaudront. Je vais montrer à chacun comment Je peux sauver.**
Les Ecritures doivent s'accomplir. Tu vois qu'il est écrit (Ap 11.7) que la bête qui sort de l'Abîme s'apprête à faire la guerre contre les Deux Lampes [14] qui se tiennent devant le Seigneur du monde, ces Deux Témoins qui représentent Mon Corps et sont Mon Corps : ceux qui ont prouvé qu'ils sont Mes serviteurs par leur grande force d'âme dans les moments de souffrance, d'épreuves et persécutions, ceux qui répandent Ma Parole et sont Mes porte-parole, et ceux à qui la Vérité a été donnée pour être comme des anges et un écho de la Parole, puisqu'ils ont permis à Mon Esprit d'être leur Guide, donnant à chacun d'eux un ministère d'Elie.
L'appel qu'ils font en Mon Nom est en fait Mon appel à travers eux; ils élèvent leur voix pour vous rappeler Ma Loi, comme Moïse sur la montagne de l'Horeb, mais à

---

14. Le Saint Esprit.

travers eux, c'est Moi qui parle, et quoique pour les gens du monde, ces Deux Prophètes [15] apparaîtront vaincus par l'Ennemi, Moi J'insufflerai la vie en eux et ils se lèveront. **"Car comme la terre fait pousser des choses fraîches, comme un jardin fait germer les semences, ainsi Moi le Seigneur Je ferai germer l'intégrité et la louange à la vue des nations" (Is 61.11).**
Je transfigurerai vos corps misérables en copies de Mon Corps glorieux. Alors, vous verrez germer un nouveau ciel et une nouvelle terre; la première terre et le premier ciel disparaîtront, c'est-à-dire l'antique cité connue sous les noms symboliques de Sodome et Egypte, car en elle Ma Parole a été à nouveau crucifiée (Ap 11.8), parce qu'à nouveau, les gens du monde ne M'ont pas reconnu : bien que Je sois venu dans Mon propre Domaine, <u>à nouveau, Mon propre peuple ne M'a pas accepté</u>, mais a traité Mon Saint Esprit à sa guise, permettant à la Bête de faire la guerre à ceux que J'avais envoyés. Ces deux cités en une représentent le même rejet qu'eurent Sodome et Egypte, de Mes Messagers. Et leur totale surdité est similaire à l'obstination de Pharaon. Elles seront remplacées par une autre Cité, la Nouvelle Jérusalem; au lieu de Sodome et Egypte, vous serez appelés

- Nouvelle Jérusalem -

Cité d'Intégrité, Cité de Sainteté.

Et lorsque cela arrivera, les survivants, saisis par la crainte ne feront plus que Me louer (Ap 11.13).
Maintenant, Mon enfant, la terre est enceinte et en plein enfantement, criant très fort dans les douleurs. Mais l'attente est très bientôt terminée. Je souffle déjà sur toi, création, vous ravivant l'un après l'autre, vous purifiant tous. Aussi, si quelqu'un élève une objection, ce n'est pas contre toi qu'il objecte, mais contre Moi, Moi qui t'ai donné Mon Saint Esprit de Vérité. Et s'ils ont recrucifié quelqu'un, entre les deux cités aux noms symboliques de

---

15. L'esprit de Moïse et l'esprit d'Elie.

Sodome et Egypte, c'est Ma Parole qu'ils ont recrucifiée. Mais après trois jours et demi [16], Mes Deux Lampes émettront la plus éclatante Lumière, parce qu'elle proviendra de l'éclat qui entoure l'Esprit.
Aussi, garde espoir, Mon enfant. La promesse de Mon Saint Esprit est pour votre temps. Vous faites partie de Ma Maisonnée. Ecclesia revivra.

$$\alpha \bigstar \omega$$

24.10.91

(Message pour les Philippines :)

- La paix soit avec vous.
Dis à Mon peuple de réfléchir à Ma Loi. Ecris :

- Je suis en train de réconcilier le monde -

Dis-leur que c'est Moi Jésus. S'ils demandent quel est Mon message pour eux, dis-leur :

Je viens vous réconcilier avec
Mon Sacré-Coeur

et en vous réconciliant avec Moi, Je vous demanderai, pour l'amour de Mon grand Amour, de vous réconcilier les uns avec les autres. J'entends réconcilier le monde avec Mon Sacré-Coeur et ainsi, faire de vous tous une nouvelle création (Ap 21.1).

---

16. Ap 11.11; nombre symbolique.

<u>C'est la promesse de Mon Esprit.</u>

Je vous le dis solennellement, celui qui sème les graines de l'auto-indulgence récoltera une moisson de corruption et quand il sera face à Moi au Jour du Jugement, Je lui dirai : "Va-t'en! Loin de Moi! Va rejoindre le Corrupteur qui t'a corrompu!"

<u>à moins que J'entende un cri de repentir,</u> l'odeur de mort qui mène à la mort continuera à s'élever jusqu'au ciel. Je ne veux plus de cela. Ce que Je désire de vous est

<u>de l'encens.</u>

Je désire que vous soyez comme des encensoirs remplis d'encens sur un autel, enfants bien-aimés. Que votre pays soit transformé en un immense Autel M'offrant les parfums de l'encens. Je veux que vous viviez saintement puisque Je suis Saint.

Chaque jour J'étends Mes Mains vers vous pour vous élever à Moi. J'ai montré Mon Amour pour vous à travers les âges et, aujourd'hui encore, comme un berger sauvant ses brebis de la gueule du lion, Je viens vous sauver de la Vipère. En dépit de votre effroyable misère, Je ne vous renverserai pas comme J'ai renversé Sodome et Gomorrhe.

Je sais combien vos nécessiteux sont oppressés et combien les pauvres sont journellement écrasés. Je sais trop combien vous êtes misérables et oh! Je connais vos crimes... et ils sont nombreux. A cause de la violence faite à vos fils, grande est l'effusion de sang innocent dans votre pays! Vos malheurs, causés par le péché, ont défié Ma Miséricorde et à cause de l'immensité de Mon Amour, J'appelle aujourd'hui votre peuple à s'unir. Appelez chacun sous Mon Saint Nom et dites-leur que Je ne mets personne à l'épreuve, pas plus que Je ne viens vous menacer. Dites à votre peuple que Je déverserai Mon Esprit d'Amour sur eux. D'en'haut, J'étendrai comme un voile sur votre pays et comme la brume, Mon Esprit d'Amour vous enveloppera et pénétrera même par les gonds de vos portes et de vos fenêtres. Votre peuple ne sera pas déçu de Ma Visite. De Mon Feu Purificateur, Je dévorerai la corruption et comme un moissonneur, Je mettrai en oeuvre Ma Faucille et Je couperai cette moisson de mal, Je la lierai en bottes et Je la jetterai au feu pour être brûlée. Et à sa place, Je sèmerai les semences du Ciel : des semences d'Amour.

C'est votre Seigneur qui parle. C'est Celui qui vous aime plus que quiconque peut comprendre.
C'est Moi, Jésus, votre Sauveur,

qui suis maintenant à vos portes. Et Je vous dis à nouveau : venez! venez à Moi, vous qui êtes oppressés; Je vous réconforterai et vous consolerai; venez! venez recevoir tous les Trésors de Mon Sacré-Coeur.
Le Royaume de Dieu [17] est parmi vous, vous n'avez qu'à y entrer. Ma Maison est votre maison. J'ai ouvert la porte de Mon Royaume à <u>chacun</u>. Venez; ne soyez plus tentés par la violence. Rachetez le mal par l'amour.

<u>Pardonnez!</u>

Sinon comment le Père vous pardonnera-t-Il, si vous n'êtes pas désireux de pardonner? Mangez de Mon fruit et non du fruit de Mon ennemi, car les enfants des ténèbres sont malfaisants même envers ceux de leur propre genre parce que le Malin est leur maître et leur apprend à être comme lui; et l'homme qui est malhonnête dans les petites choses sera malhonnête également dans les plus grandes choses.
Réunissez vos amis pour prier; J'entendrai votre prière :

<u>chaque pécheur repentant sera entendu dans le Ciel.</u>

Moi Jésus Je vous bénis tous, laissant le Soupir de Mon Amour sur vos fronts.

ΙΧΘΥΣ

---

17. L'Eglise.

25.10.91

- Seigneur?
- **Je Suis.**
- Seigneur, lie-moi maintenant encore plus à Toi et préserve-moi des insultes qui me sont adressées parce que je vis de façon œcuménique. Lie-moi à Ton Cœur et quand je marche, que Ta Lumière soit mon Guide. Lorsque je prends mon repos, que Ton Esprit veille sur moi et quand je me réveille, fais parler mon esprit à Ton Esprit. Fais que j'agisse comme Toi et que je Te courtise. Rends mon cœur avide de Te rechercher afin que j'accomplisse pour Toi tout ce dont j'ai fait vœu. Rappelle-nous à tous, Seigneur, ce que Tu nous avais donné. Tu nous avais donné Une Seule Eglise vigoureuse, pleine de Ton Saint Esprit, et non une ruine désolée; Tu nous avais donné Une Seule Houlette solide, non deux ou trois tronçons, encore moins un tas de copeaux... où tout cela s'en est-il allé?

- **Vassula, laisse-Moi te dire d'abord : les insultes de ceux qui t'insultent tombent sur Moi; aussi, n'abandonne pas, porte Ma Croix d'Unité de nation en nation et sois Mon Echo. Pour rafraîchir la mémoire de Mon peuple, J'envoie Mon Saint Esprit leur rappeler d'adopter un amour mutuel qui conduit à la paix et à une compréhension mutuelle. Dans Mes messages préliminaires sur l'Unité, Je vous avais demandé à tous de plier, mais y a-t-il aujourd'hui quelqu'un qui soit prêt à écouter ce que dit Mon Esprit?**
- **Reste-t-il parmi vous quelqu'homme juste?**
- **Y a-t-il quelqu'un qui réellement Me recherche?**
- **Quelqu'un a-t-il, à ce jour, baissé sa voix pour entendre la Mienne?**
- **Qui parmi vous, le premier, s'inclinera et s'effacera afin que Ma Présence soit vue?**
- **Qui parmi vous est prêt à baisser la tête pour permettre à Ma Tête d'être révélée?**
- **Y a-t-il parmi vous quelqu'homme généreux qui baissera sa voix et écoutera Ma prière suppliante au Père :**

> **"Dois-Je, Père,
> une saison de plus,
> boire la Coupe
> de leur division?
> Ou unifieront-ils au moins**

la Fête de Pâques,
soulageant une partie
de Ma souffrance
et de Ma douleur?

Ce règne d'obscurité
durera-t-il plus longtemps?
Ils ont tranché Mon Corps
et ont oublié que c'est
Ma Tête
qui fortifie et maintient
ensemble
le Corps tout entier.

O Père!
réconcilie-les
et rappelle-leur
que par Ma Mort
sur la Croix
Je leur ai donné Ma Paix.

Donne-leur l'Esprit de Vérité
dans Sa plénitude
dans leurs coeurs,
et lorsqu'ils verront leur nudité,
ils comprendront.

Pardonne-leur, Père,
car ils ne savent pas
ce qu'ils font."

La Citadelle
des orgueilleux
s'effondrera en un monceau de poussière,
Mon Enfant [18].
Leur orgueil et leur gloire tomberont lorsque Mon Esprit
les assiégera; attends seulement et Tu verras.

---

18. Ici, j'ai eu l'impression que c'était le Père qui répondait au Fils.

Ecris :
> Ecoutez-vous réellement?
> Ecoutez-vous vraiment ce que Je dis?

Ce que Je dis signifie la Paix pour les Miens et pour Mes amis. Ils comprendraient s'ils renonçaient dès aujourd'hui à leur folie. Pour ceux qui M'aiment sans réserve et qui Me craignent, Mon aide salvatrice est à portée de mains et la gloire vivra alors en chacun de vous. Amour et Loyauté peuvent se rencontrer, Droiture et Paix peuvent s'embrasser. La Loyauté peut monter de la terre car la Droiture s'est toujours penchée du Ciel. Je vous ai accordé le bonheur; qu'a donné votre sol, comme récolte? La Droiture M'a toujours précédé et la Paix a suivi Mes Pas. Puis-Je en dire autant de vous? Qui réparera pour les années de votre division? Les solennités et les discours ne M'intéressent pas. Les faux-semblants et les louanges des lèvres ne Me trompent pas non plus. Oh! Ma fille, ce que Je voudrais qu'ils comprennent, spécialement ceux qui vivent dans Mes Plaies, c'est que <u>Ma douleur est grande</u>. Et la raison pour laquelle J'ai exprimé différentes choses plutôt énergiquement, c'est pour leur permettre de prêcher quelque chose de l'Esprit et non de la lettre. Je veux remplir leur esprit de Ma Lumière Transcendante afin qu'ils voient les choses avec <u>Mes</u> Yeux et non avec les <u>leurs</u>; pour voir les choses avec Ma Lumière Divine et non la leur. Je suis connu pour être Fidèle et Droit et cela ne signifie pas, parce qu'ils manquent de fidélité et de droiture, que Moi aussi Je leur montrerai moins de Fidélité, de Droiture et de Paix, et que Je ne viendrai pas les secourir :

> Même s'ils se détournent tous de Moi et de Mes Voies,
> Moi, Je resterai "Fidèle et Vrai" (Ap 19.11).

Mon Esprit sera à l'oeuvre pour restaurer la Paix parmi les frères et, par Ma Croix et par Mes Plaies, Je vais vous unir tous en un seul Corps et Je vous ferai Me glorifier autour

d'Un Seul Tabernacle

et la barrière qui vous maintient séparés sera brisée. L'anathème sera levé (Ap 22.3) et Mon Trône Sacrificiel sera à sa place.
Venez à Moi comme des petits enfants pour que Je puisse ouvrir les yeux de votre âme, pour que vous puissiez <u>voir</u> quelle Espérance Mon Appel

vous réserve.

Bénis-Moi, Ma fille. Viens.

ΙΧΘΥΣ   ><((°>

- Je Te bénis, Seigneur.

"Fais avancer le peuple qui est aveugle quoiqu'il ait des yeux,
    qui est sourd quoiqu'il ait des oreilles;
    que toutes les nations se réunissent et s'assemblent
    quelles que soient leurs races;
    que les hommes T'entendent
    afin qu'ils puissent dire :
    c'est vrai" (Is 43.8-9).

Jésus : dessin au crayon de Vassula (nov. 91)

Vassula

Achevé d'imprimer en novembre 1994
sur les presses de Saint-Paul France S.A.
55000 Bar le Duc
Dépôt initial: février 1992
Dépôt légal: novembre 1994
ISBN: 2-86839-224-5
N° 11-94-1344